GÖTTINGER ORIENTFORSCHUNGEN

VERÖFFENTLICHUNGEN
DES SONDERFORSCHUNGSBEREICHES ORIENTALISTIK
AN DER GEORG-AUGUST-UNIVERSITÄT GÖTTINGEN

In seinem Auftrag herausgegeben von

FRIEDRICH JUNGE

II. REIHE:
STUDIEN ZUR SPÄTANTIKEN
UND FRÜHCHRISTLICHEN KUNST

Band 3

Claudia Nauerth – Rüdiger Warns

THEKLA

Ihre Bilder in der frühchristlichen Kunst

1981

OTTO HARRASSOWITZ · WIESBADEN

Claudia Nauerth – Rüdiger Warns

THEKLA

Ihre Bilder in der frühchristlichen Kunst

1981

OTTO HARRASSOWITZ · WIESBADEN

CIP-Kurztitelaufnahme der Deutschen Bibliothek

Nauerth, Claudia:
Thekla, ihre Bilder in der frühchristlichen Kunst /
Claudia Nauerth ; Rüdiger Warns. — Wiesbaden :
Harrassowitz, 1981.
    (Göttinger Orientforschungen : Reihe 2, Studien zur
    spätantiken u. frühchristl. Kunst ; Bd. 3)
    ISBN 3-447-02171-3
NE: Warns, Rüdiger: ; Göttinger Orientforschungen / 2

Diese Arbeit ist im Sonderforschungsbereich 13 – Orientalistik mit besonderer Berücksichtigung der Religions-
und Kulturgeschichte des Vorderen und Mittleren Orients –, Universität Göttingen, entstanden und wurde auf
seine Veranlassung unter Verwendung der ihm von der Deutschen Forschungsgemeinschaft zur Verfügung
gestellten Mittel gedruckt.

INHALTSVERZEICHNIS

Vorwort

Am Entstehen dieser Arbeit haben mitgeholfen: Frau Brigitte Schaeffer
und Foto Wollscheid, die die Reproduktionen anfertigten; Herr Charles
Heginbottom, der uns die Skizze Abb.6 zeichnete; Originalfotos stellten
zur Verfügung Herr Prof.Buschhausen, Wien, der Hirmer-Verlag in München,
das Fotoarchiv des Deutschen Archäologischen Instituts in Rom und der
Louvre in Paris (M.Chuzeville). Herrn Prof.Jürgen Christern, der in
Göttingen einen Gastvortrag über Pilgerorte hielt, danken wir für einige
Anregung. An der Erstellung des Manuskriptes hat mit Geduld und bewähr-
ter Tatkraft wieder Frau Birgit Schlüter-Ossadnik mitgewirkt. Allen Genannten gilt unser Dank.

Göttingen, Silvester 1980   Claudia Nauerth   Rüdiger Warns

Einleitung

Eine umfassende Monographie über die heilige Thekla, über Art und Ausbreitung ihres Kultus sowie die vielen Stätten ihrer Verehrung (Thekla-Kirchen) liegt heute noch nicht vor. Ein solches Buch zu schreiben müßte sich lohnen, da die patristischen und hagiographischen Quellen fast im Überfluß Hinweise geben und die Kontinuität dann noch ein Jahrtausend weiter reicht und Ausläufer der Theklaverehrung bis heute gehen[1]. Die alten Arbeiten von Schlau[2] und Holzhey[3] haben das zur Verfügung stehende literarische Material noch keineswegs ausgeschöpft und haben insonderheit die Frage nach der kultischen Praxis nur wenig berücksichtigt[4].

Die älteste uns erhaltene und auf die Dauer am meisten wirksam gewesene Schrift, die für die Bekanntheit Theklas sorgte, sind die Acta (Pauli et) Theclae, ein verselbständigtes Stück der zum größten Teil verlorenen, romanhaften Acta Pauli, die ein kleinasiatischer Presbyter um das Jahr 170 "aus Liebe zu Paulus" geschrieben hatte[5]. Da man diese fabulösen Acta Pauli bzw. die Acta Theclae an vielen Orten jahrhundertelang wie eine Bibelschrift las[6] und gegen die asketische oder enkratitische Tendenz des Werkes nichts einzuwenden fand oder diese Richtung sogar sehr begrüßte, stellte sich die Schätzung Theklas als einer Heiligen zwangsläufig und wie von selbst ein, und von hier bis zur etwaigen Einführung des Kultus war dann immer bloß ein kleiner Schritt[7]. Für die einmal eingewurzelte Schätzung Theklas hat es offenbar erstaunlich wenig bedeutet, daß die Acta Pauli und Theclae schließlich kirchenoffiziell als unerquickliches Apokryphon indiziert wurden. Die Schätzung Theklas

---

1 Vgl.B.Kötting, Artikel 'Thekla' im Lexikon für Theologie und Kirche Bd.X,1965, 18-19; M.Aubineau in Analecta Bollandiana 93,1975, S.362 mit Anm.4.

2 C.Schlau, Die Acten des Paulus und der Thecla und die ältere Theclalegende, Leipzig 1877.

3 C.Holzhey, Die Thekla-Akten - ihre Verbreitung und Beurteilung in der Kirche, München 1905; ders.Artikel 'Thekla' im Lexikon für Theologie und Kirche Bd. X, 1938, 28ff.

4 Schon beim Blättern in der Sekundärliteratur trifft man auf Mengen einschlägiger Väterstellen; z.B. in J.Gwynn's Artikel 'Thecla' im DCB IV,1887, 882ff und bei R.Kasser, in: Revue d'histoire et philosophie religieuses 40,1960,S.45ff; M.Aubineau in: Analecta Bollandiana 93,1975, S.359-62 weist eigens auf rund dreißig wenig bekannte Belege hin. Auch im manichäischen Psalmenbuch kommt Thekla mehrfach vor.

5 Vgl.Schneemelchers Überblick in Apokr.II,S.221ff mit weiteren Literaturhinweisen.

6 Vgl. hier S.17, Anm.1.

7 Ein kleiner Schritt - aber eben doch ein Schritt. Über das Verhältnis von Lektüre und Kultus vgl. die Bemerkungen von E.Rolffs in Hennecke's Handbuch zu den neutestamentlichen Apokryphen, Tübingen 1904, S.372.

pflanzte sich, da sie hervorragende Wortführer hatte, einfach fort und
dies noch um so leichter, als Thekla mancherorts schon mit einem Kultus,
der seine eigene Ausstrahlung hatte, fest etabliert war. So geben die
Textvarianten und die verschiedenen Nachtragskapitel der Acta Theclae
(die von R.A.Lipsius in den Acta Apostolorum Apocrypha Bd.I ediert
vorliegen) Hinweise auf den Kultus, den Thekla an verschiedenen Orten
genoß. Ob jener kleinasiatische Presbyter und Romanschreiber die Gestalt der Thekla völlig frei erfunden oder einen historischen Kern mit
legendären Schwaden unmäßig umnebelt hat, ist eine offene Frage. Der
Theklakult ist jedenfalls von der Region um Ikonium und Seleukia in
Kleinasien ausgegangen, und die Acta Pauli et Theclae waren in irgend-
einer Form überall das Buch seiner Propaganda wie seiner Erbauung, wo
er Fuß faßte[1].

Eine zweite, wichtige Schrift, die, streckenweise abhängig von den Acta,
Theklas Leben, Wirken und Wundertaten darstellt, ist die in der Mitte
des 5.Jahrhunderts geschriebene Vita Theclae des Ps-Basilius. Wir erfahren aus ihr, wie es an dem mächtig aufgeblühten Wallfahrtsort der
Heiligen nahe dem kilikisch-isaurischen Seleukia herging, wo Thekla die
heidnische Göttin Athene-Artemis (Kybele) und den einheimischen Heil-
und Orakelgott Sarpedon beiseite gedrängt und sich deren Stätten als
Kultnachfolgerin angeeignet hatte[2]. Von dem Ruhm dieses Theklaortes ließ
sich schon die Pilgerin Egeria am Ende des 4.Jahrhunderts anziehen[3],
und ein Jahrhundert später baute Kaiser Zeno der Isaurier, der sich der
Heiligen zu Dank verpflichtet wußte, den Kultort glänzend aus[4]. Die
Vita Theclae, die eine für die Auseinandersetzung wie Kontinuität von
Antike und Christentum höchst aufschlußreiche Quelle ist, wurde von
G.Dagron neu ediert (Vie et miracles de Sainte Thècle, Subsidia Hagiographica 62, Brüssel 1978). Der Textausgabe sind einleitende Untersu-
chungen vorangestellt, wobei ein Abschnitt über die archäologisch noch
längst nicht hinreichend erforschte Trümmerstätte informiert, die heute
Meriamlik heißt[5]. Wie Dagron nachgewiesen hat, ist der Bischof Basilius
von Seleukia nicht der Verfasser dieser Vita Theclae[6].

1   Vgl.Itinerarium Egeriae 23,5: "facta oratione ad martyrium nec non etiam et lecti-
    one actus sanctae Teclae" im Wallfahrtsort bei Seleukia.

2   E.Lucius, Die Anfänge des Heiligenkults in der christlichen Kirche, Tübingen 1904,
    S.205ff; L.Radermacher, Hippolytos und Thekla - Studien zur Geschichte von Legende
    und Kultus, in: Kais.Akad. d.Wiss.in Wien, phil.-hist.Kl.Sitzungsber.182,3.Abh.,
    Wien 1916, S.50ff; B.Kötting, Peregrinatio Religiosa, Münster 1950, S.140ff.

3   Itinerarium Egeriae 23.

4   Vgl.Dagron, S.451 Register s.v.Zénon.

5   Dagron, S.55ff (mit Literaturhinweisen).

6   Analecta Bollandiana 92,1974, S.5-11.

Eine andere Vita Theclae hat, wie es scheint, noch Athanasius, der große Bischof von Alexandrien, geschrieben[1]; jedoch ist das Werk wohl ebenso verloren, wie eine Lobrede auf Thekla, die Theodor von Mopsuestia verfaßte[2]. Verschiedene Lobreden, die meist am Jahrestag der Heiligen gehalten wurden (in Seleukia redete man sogar um die Wette[3]), und auch Hymnen[4] sind aber sonst noch zahlreich überliefert. Wir werden nur auf den Panegyrikus eines Ps-Chrysostomus näher eingehen (unten S.71ff). Diese Rede verdient u.a. deswegen Beachtung, weil der Redner dem Thekla-Kultus anscheinend reserviert gegenübersteht und die übliche, kritiklose Thekla-Begeisterung nicht teilt. Stimmen dieser Art sind aber nur wenige laut geworden[5].

Unser Buch über die Thekla-Bilder versteht sich nun als ein Beitrag, der von christlich-archäologischer Seite Material zu der wünschenswerten, umfassenden Monographie über Thekla bereitstellt. Die bis heute bekannt gewordenen Thekla-Bilder sind nur gelegentlich und vereinzelt, nie zusammenhängend untersucht worden. Hier setzen unsere Interpretationen ein: wir sammeln und deuten die wichtigsten Darstellungen Theklas in der altchristlichen Kunst; zu den altbekannten sagen wir mancherlei Neues, und ein paar neu gefundene Bilder sind auch vorzustellen. Auf mittelalterliche Denkmäler gehen wir nur sehr gelegentlich ein. Nur bei dem Antependium von Tarragona (Kap.14) machen wir eine Ausnahme, da wir hier die Kontinuität der Bildertradition bis mindestens zum Ende der Romanik hin exemplarisch nachweisen können. Überschauend kommen wir zu dem Ergebnis, daß die Thekladarstellungen unter den frühchristlichen Heiligenbildern wohl die größte und interessanteste Gruppe neben den Stylitenbildern (die viel mehr Beachtung gefunden haben[6]) sind[7]. Die Aspekte,

---

1 Vgl.M.Aubineau, Les écrits de Saint Athanase sur la Virginité, in: Revue d'ascétique et de mystique 1959, S.141-173; DACL XIII,2,2670 oben mit Anm.6; M.L.Thérel, in: RACrist 45,1969, Miscellanea Josi, S.266.

2 DCB IV,887[a].

3 Vgl.Dagron, S.399, Anm.7.

4 Drei Hymnen enthält z.B. J.B.Pitra, Analecta Sacra Spicilegio Solesmensi Parata I, Paris 1876.

5 Tertullian, De bapt.17,5 kritisiert die Acta Pauli, weil ihm Thekla als Präzedenzfall für ein weibliches Priestertum, Lehramt und Apostolat mißliebig ist. Die Vita Theclae des Ps-Basilius verrät, daß die Bischöfe der Stadt Seleukia kein ungetrübtes Verhältnis zu den eifrigen Theklaverehrern in ihrer unmittelbaren Nachbarschaft hatten (vgl.Dagron in Analecta Bollandiana 92,1974,S.11). Nach Ps-Basilius, Theklawunder Nr.29 (Dagron, S.366ff.) war Marianus, der Bischof von Tarsus, kein Freund der Wallfahrt zur heiligen Thekla von Seleukia - ob nur aus Nachbarschaftsneid?

6 Vgl. die Literaturangaben in: J.S.Allen (ed.), Literature on Byzantine Art 1892 bis 1967, vol.2 (Dumbarton Oaks Bibliographies), London 1976, S.387; und bei V.H.Elbern, Hic Scs.Symion, in: CArch 16,1966,S.23ff, bes.S.27, Anm.16.

7 Diese Feststellung gilt natürlich in Absehung von den Patriarchen-, Propheten- und Apostelbildern biblischen Hintergrunds.

unter denen man die Heilige dargestellt hat, sind mannigfach und nicht
selten miteinander verknüpft: Thekla erscheint als Rettungsparadigma,
Asketin und Jungfrau, Protomärtyrerin, Paulus-Schülerin und Apostolin,
Wundertäterin, Interzessorin. Die meisten Bilder haben eine enge Beziehung zu dem Text der Acta Theclae (oder Acta Pauli), der darum von
uns immer wieder zitiert werden muß. Gewisse Reflexe in den Darstellungen lassen annehmen, daß es zu dem Acta-Text (oder zu einer Rezension
desselben[1]) einen ziemlich reichen Zyklus begleitender Miniaturen gegeben hat (über 60 Bilder, wie wir auf S.91 schätzen); angesichts der
Romanhaftigkeit und Beliebtheit der Acta ist das nicht überraschend.
Außerdem wird in den Darstellungen etwas von der Ausstrahlung der Kult-
orte bemerkbar. Einige Stücke, wie die Ampullen, haben eine unmittelbare Beziehung zu dem Wallfahrts- und Pilgerbetrieb. Mehrfach wird sichtbar, daß Thekla eine erhebliche, massenwirksame Rolle in der Verdrängung
des Heidentums gespielt hat (Kap.3, 10, 12, 13). Anhand der Bilder
und einiger Nachrichten können wir im Umriß sehen, wie der Christiani-
sierungsprozeß, den uns die Vita Theclae des Ps-Basilius für die Gegend
von Seleukia literarisch bezeugt, in dem antiochenischen Vorort Daphne
abgelaufen ist (Kap.3 und 12b; ein nachdenklicher Betrachter wird sich
dieser Vorgänge und des Zwielichtes um Thekla übrigens kaum freuen können). Vier Bildkompositionen oder -vorlagen fallen als eigentümlich re-
präsentativ auf: Thekla zwischen zwei flammenden Feuern, zwischen zwei
Löwen, zwischen zwei Robben und zwischen zwei Stieren - das sind die
hauptsächlichen Prüfungen und Siege der Protomärtyrerin. Vielleicht waren diese vier Bilder, die so freilich in keiner Darstellung alle bei-
sammen sind, in einem großen Heiligtum Theklas der beherrschende Wand-
oder Apsidenschmuck. Die Bildentwürfe, die sich auf spezifisch lokale,
im 'Normaltext' der Acta nicht verankerte Theklalegenden beziehen, scheinen die relativ spätesten zu sein (Kap.12), während diejenigen, die
Thekla nackt als Rettungsparadigma zeigen, wohl die frühesten sind
(Kapitel 4a).
Unsere Denkmäler decken nach ihrer geographischen Herkunft (Köln, Rom,
Ägypten, Spanien und Kleinasien) die Länge und Breite des römischen
Reiches ungefähr ab. Daß die Bilder ägyptischer Provenienz so sehr in

---

1   Es fällt auf, daß zwei räumlich und zeitlich so weit auseinander liegende Denkmäler wie die Malereien der Exodus-Kapelle von El-Bagawat und das Antependium von
Tarragona, die wohl beide auf Acta-Illustrationen zurückgehen, einzig und gerade
bei dem Bild des Feuermartyriums eine -jeweils verschiedene- Übereinstimmung mit
dem Text der Vita Theclae des Ps-Basilius zeigen (vgl. hier S.13, Anm.2, bzw.
S.87 unten).

der Überzahl sind, hängt vielleicht doch mit einem besonderen Eifer der
Ägypter für Thekla und die apokryphen Acta zusammen.

Die Reihenfolge, in der wir die Bilder interpretieren, entspricht ungefähr dem Gang der Ereignisse in Theklas Leben. Die Lese-und Lehrszenen
haben wir allerdings insgesamt an den Anfang gestellt (Kap.1 und 2).
Dann folgen die Bilder der Ereignisse in Ikonium und Antiochia: zunächst
die Darstellungen des Feuermartyriums (Kap.3 und 4a), dann der verschiedenen Tierkämpfe (Kap.4 - 10). Kap.12a betrifft eine Darstellung
von Theklas Lebensende in Seleukia. In dem Schlußkapitel 14 behandeln
wir späte, mittelalterliche Denkmäler in Spanien, wobei das Antependium
von Tarragona den ganzen Lebensweg Theklas noch einmal kompendiös zu-
sammenfaßt. Ein absolut folgerichtiger Weg durch die Darstellungen war
nicht zu gewinnen, wenn wir die Bilder nicht pressen wollten. Es schien
uns wichtiger, sie in ihrer jeweiligen Eigenart zu würdigen.

Kapitel 1

Die Elfenbeintafel in London nebst ihren Pendants

a) die Thekla-Tafel (Abbildung 1 rechts oben)

Zu den Lese- oder Lehrszenen zwischen Paulus und Thekla wird die Darstellung auf einer von drei erhaltenen Seiten eines Elfenbeinkästchens
gerechnet, das sich heute im British Museum in London[1] befindet. Die
drei Täfelchen werden von einem Blattfries rings umrahmt, die Bild-
fläche ist etwas eingetieft. Die Tafel mit dem Paulus-Thekla-Bild glie-
dert sich in zwei Hälften, die von einem Pfeiler (mit Basis und Kapitell)
mit einer Sonnenuhr voneinander getrennt sind. Die linke Hälfte nimmt
das Paulus- und Thekla-Bild ein, die rechte die Steinigung des Apostels.
Auch die Szene mit Paulus und Thekla zerfällt wieder in zwei Bereiche,
die aber durch die Anordnung der Personen aufeinander bezogen sind: zur
Rechten sitzt nach links der Apostel, der besonders auch an seiner Stirnglatze kenntlich ist, auf einem Block aus Stein, Fels oder Erde. Mit den
Händen hält er eine geöffnete Rolle, in bzw. aus der er ganz offenbar
liest. Links von ihm ist eine kleine befestigte Anlage wiedergegeben,
die aus einem mehrstöckigen, nur in den unteren Teilen gemauerten Turm
besteht und aus einer leicht gekrümmten, gemauerten hohen Brüstung, in
der sich ein Tor befindet, das leicht geöffnet ist. Über den oberen Rand
der Brüstung beugt sich eine Frau lauschend nach rechts dem Paulus zu:
die linke Hand stützt das Kinn, die rechte hängt locker über der Mauer-
kante. Die Frau ist sichtlich nachdenklich.
Die Szene gilt allgemein als Lehr- oder Leseszene, ohne daß man zunächst
die Lokalität genauer festlegen könnte. Nach den Worten der Acta und der
parallelen Schilderung in der dem Basilius zugeschriebenen Thekla-Vita[2]
denkt man vor allem an die Predigt des Paulus im Hause des Onesiphorus,
der Thekla am Fenster ihres unmittelbar benachbarten Hauses zuhörte, ohne

1 London, The Trustees of the British Museum, 56,6 - 23,8,9 und 10. - Maße: 4,2 x
9,8 cm; Abbildungen und Erörterung: Katalog 'Age of Spirituality', 1979, Nr. 455,
S. 507 f.; W.F. Volbach, Elfenbeinarbeiten der Spätantike und des frühen Mittel-
alters, Mainz 1976³, Nr. 117, S. 83 und Taf. 61; J. Natanson, Early Christian
Ivories, London 1951, Nr. 16 und S. 13; O.M. Dalton, Catalogue of Early Christian
antiquities and objects from the Christian East in the Department of British and
Mediaeval Antiquities and Ethnographs of the British Museum, London 1901, Nr. 292c,
S. 50f.

2 Apokr. II, S. 243 ff. (Kap. 5,7,8,9) passim: "Und als Paulus im Hause des Onesiphorus eingekehrt war, ... Und während Paulus so sprach in der Gemeinde im Hause des
Onesiphorus, saß eine Jungfrau namens Thekla ... an einem benachbarten Fenster und
hörte Tag und Nacht das Wort vom jungfräulichen Leben, wie es von Paulus verkündet
wurde. Und sie neigte sich nicht vom Fenster fort, sondern drängte sich im Glauben
in unaussprechlicher Freude herzu ... Denn sie hatte Paulus von Angesicht noch
nicht gesehen, sondern hörte nur sein Wort. Da sie aber nicht vom Fenster wich,
schickte ihre Mutter zu Thamyris ... (welche sagt): 'Es wird aber auch noch meine
Tochter, die wie eine Spinne am Fenster klebt, durch seine Worte bewegt ...' Aber
auch ihre Mutter sagte ihr noch dasselbe: 'Kind, was sitzest du hier so und blickst

daß sie den Apostel sehen konnte. Vergleicht man diese Überlieferung
mit unserem Bild, so läßt sich die lauschende Frau durchaus als jene
Thekla verstehen, die in ihrem wohlbehüteten Zuhause den Apostel Paulus
hört: Sie steht oberhalb einer halbrunden, turmbewehrten Mauer mit halb-
geöffnetem Tor, also in einem Ambiente, wie man es ansonsten von Darstellungen mit Städten und Stadttoren kennt[1]. Thekla hört Paulus zu; die
beiden Figuren sehen sich nicht an, was gut zu den Worten paßt: "Denn
sie hatte Paulus von Angesicht noch nicht gesehen, sondern hörte nur
sein Wort". Die Begebenheit selbst spielt in Ikonium. Allerdings ist
man überrascht, daß sich in der Darstellung keine Andeutung des Fensters
findet, von dem in den Acta und in der Vita immer wieder die Rede ist:
das Motiv wird dort ständig in der Weise wiederholt, als sei das Fenster
mitschuldig daran, daß Thekla die Worte des Paulus überhaupt hören kann.
Vielleicht weist aber das Fehlen des Fensters auf unserem Bild noch auf
eine andere Begebenheit hin: Geht man nämlich von der Person des Paulus
aus, so kann man sich gut vorstellen, daß er nicht im Hause des Onesiphorus sitzt, sondern eher im Gefängnis, wohin ihn der Statthalter abführen läßt[2]. Der Apostel sitzt auf einem blockartigen Gebilde, nicht
auf einem Stuhl, und liest; seine Augen sind aber nicht direkt auf die
geöffnete Rolle geheftet, sondern blicken geradeaus: Schaut er der in
das Gefängnis eintretenden Thekla überrascht entgegen[3]? Oder steht Thekla noch draußen vor den Mauern des Gefängnisses?
Für die Deutung, der Apostel sitze gefangen[4], läßt sich vielleicht noch
eine Einzelheit des Bildes anführen: Rechts neben Paulus steht ein Pfei-

---

nach unten, antwortest nichts und bist gänzlich verstört?'... wandte sich Thekla
nicht ab, sondern war ganz dem Wort des Paulus zugewandt". In der Vita Theclae
vgl. die Passagen Dagron, S.172ff.

1 Das wurde mehrfach beobachtet: z.B. Dalton, Catalogue, S. 50 f.: "St. Paul conver-
sing with Thecla (l.); the stoning of St. Paul (r.); the two scenes divided by
half a rounded arch (dazu s. weiter unten!). In the first scene Thecla appears behind the wall of a building terminating in a round tower and having a round gate-
way with half opened folding doors". Volbach, Elfenbeinarbeiten, Nr. 117, S. 83:
"Paulus sitzt lesend auf einem Stein vor einem Stadttor, über das Thekla sich her-
überlehnt und zuhört". Knapp der Katalog 'Age of Spirituality', S. 508: "the apo-
cryphal tale of Thecla listening to Paul reading is shown...(Acta Pauli 7)".
Zur Sache: I. Ehrensperger-Katz, Les représentations de villes fortifiées dans
l'art paléochrétien, in: CArch 19,1969, S. 1 - 27.

2 "Als der Statthalter das gehört hatte, gab er Befehl, Paulus zu binden und in das
Gefängnis abzuführen, bis er Muße finden werde, ihn gründlicher zu verhören".
(Apokr. II, S. 246, Kap. 17).

3 "Thekla aber gab in der Nacht ihr Armband, das sie sich abgenommen hatte, dem Tür-
hüter, und als ihr die Tür aufgetan war, ging sie fort in das Gefängnis. Dem Gefängniswärter schenkte sie einen silbernen Spiegel und ging nun zu Paulus hinein,
und sie setzte sich ihm zu Füßen und hörte ihn die großen Taten Gottes verkünden.
Und Paulus fürchtete nichts...". (Kap.18).

4 Vielleicht sollen die Querriemen an den Fußgelenken des Paulus auf die von Thekla
geküßten Fesseln hindeuten (Acta, Kap. 18 Ende); oder sind es nur, dann aber über-
deutlich markiert, die Riemen der üblichen Sandalen?

ler mit Basis und Kapitell, der außerdem von einer Sonnenuhr bekrönt wird[1]. Dieses Requisit kehrt z.B. auf einer Miniatur der Wiener Genesis wieder, die Josef im Gefängnis zeigt, wie ihn eben die Frau des Potiphar besuchen kommt[2]. Die Sonnenuhr steht dort außerhalb der Gefängnisgrube bei dem Wärter. Sie paßt aber auch vorzüglich zu der Lage dessen, der drinnen gefangen sitzt und lange oder ewig wartet. Auf unserer Elfenbeintafel hätte die Uhr dann, von ihrer Funktion als Szenenteiler einmal abgesehen, auch eine inhaltliche Bedeutung. Zugleich ist der Gnomon gewiß ein Zeichen des Weisen[3], der darunter liest, und dazu auch noch, wie die Buchrolle in den Händen des Apostels, ein Zeichen der Lehre, die von Thekla dann zur Richtschnur ihres Lebens angenommen wird.

Während also die linke Hälfte des Bildes am ehesten mit 'Thekla hört Paulus im Hause ihrer Mutter' zu überschreiben wäre, auch wenn ein eigentliches Fenster fehlt, so möchte man die rechte wohl mit 'Paulus liest im Gefängnis' bezeichnen. Die beiden Figuren sehen sich nicht an! Die jeweils ergänzende Person ist anders wiedergegeben als es die Situation der Thekla, bzw. des Paulus eigentlich verlangt: Zu Paulus im Gefängnis erwartet man eine Thekla, die sich vor oder schon im Gefängnis befindet; es scheint, daß der Armschmuck an ihrer Rechten und die leicht geöffnete Tür auf ihre Flucht anspielen sollen. Thekla besticht nämlich mit ihrem Armband den Pförtner und dann mit ihrem Silberspiegel den Gefängniswärter und kann so aus dem Elternhaus fort und bis zu Paulus ins Gefängnis gelangen[4]. - Zu der Thekla im Hause ihrer Mutter erwartet man andererseits einen Paulus, der im Nachbarhaus predigt, nicht aber liest. Die Halbfigur, mit welcher Thekla in der vorliegenden Komposition erscheint und das rechteckige Stück leeren Grundes hinter ihr erinnern wenigstens noch an das Motiv einer 'Frau im Fenster'[5]. In jedem Fall ergibt die vorliegende Komposition der Szene - unbeschadet ihrer möglichen, hier dann kontrahierten Vorlagen - einen guten Sinn: in ihr sind Theklas beginnendes Interesse an der Predigt des Paulus und ihre persönliche Unterweisung durch den Apostel im Gefängnis zu einer Einheit verschmolzen: Anfang und erster Höhepunkt der Begegnung Theklas mit Paulus verdichten sich zu einem einzigen Bild.

1   Das Detail wird nur gelegentlich eigens erwähnt, z.B. von Dalton, Catalogue, S. 50f.; dort "as half a rounded arch" verstanden, wogegen die umlaufende Kerbe an dem Ding, nämlich dem Gnomon über dem Kapitell, spricht.

2   Abbildung: K. Weitzmann, Spätantike und frühchristliche Buchmalerei, München 1977, S. 84, Szene Nr. 27 (fol. 33).

3   Vgl. dazu z.B. die Ausführungen von O. Brendel, Symbolik der Kugel, Archäologischer Beitrag zur Geschichte der älteren griechischen Philosophie, in: RM 51,1936, S. 1ff. (Neapler Philosophenmosaik: Abb. 1, und das in der Villa Albani, Rom: Abb.2).

4   Apokr. II, S. 246 (Kap. 17 und 18); hier S.2   Anm. 3.

5   Zu diesem Thema: K. Schauenburg, Frauen im Fenster, in: RM 79, 1972, S. 1-15 und RM 80,1973, S. 271-273.

Dem Turm, der mitten zwischen den beiden steht, wird man, wie schon der
Sonnenuhr, noch eine besondere Bedeutung unterlegen dürfen. Wäre er näm-
lich einfach als ein Stück Architektur gemeint, so müßte man das Fehlen
eines Pendants, also eines zweiten Turmes ganz links, wo sich nun der
Blattfries hinzieht, ärgerlich finden: der Schnitzer hätte die "Stadt"-
ansicht oder "Tor"-front verstümmelt. Dieser Vorwurf entfällt, wenn der
Turm als Hinweis auf die Lehre verstanden wird, die Paulus verkündet.
Der Apostel predigt "das Wort Gottes über Enthaltsamkeit (Askese) und
Auferstehung"[1], der elfte von ihm dabei vorgetragene Makarismus lautet:
"Selig sind, die um Gottes Liebe willen herausgehen aus dieser Welt Ge-
stalt oder Art"[2]. Die "gottliebende"[3] Thekla nun wird "herausgehen" -
die Tür ist schon offen - und wird als vorbildliche Asketin, wie ein
Turm, gegen alle Anfeindungen und Nachstellungen ihre Unversehrtheit,
ihre Virginität behaupten. Der Turm ist somit Metapher für die gepre-
digte Enthaltsamkeit oder Jungfräulichkeit[4].
Auf eben dieser Tafel, die die Bekehrung und Unterweisung der Thekla
zeigt, ist in der rechten Hälfte die Steinigung des Paulus dargestellt:
Links steht ein Mann mit Tunika und Pallium, der in der Rechten einen
Stein hält, den er gerade auf Paulus herabschleudert. In seinem Mantel-
bausch, den er mit der Linken festhält, liegen mindestens noch zwei weitere Steinbrocken. Rechts vor diesem Mann ist der Apostel (Stirnglatze!)
in die Knie zusammengesunken und versucht sich, indem er die rechte Hand
abwehrend erhebt, gegen den Steinschlag zu schützen. In 2.Kor 11,25
schreibt Paulus, er sei u.a. einmal gesteinigt worden. Die Apostelgeschichte (14,5) läßt das in Ikonium geschehen, oder vielmehr zeigen die
Leute dort Neigung es zu tun, und Paulus und Barnabas können sich noch
eben durch Flucht retten, aber dann wird Paulus wenig später laut 14,19
von der Menge in Lystra auf Anstiftung von Juden, eben auch aus Ikonium
(also der Heimatstadt Theklas nach den apokryphen Acta), fast zu Tode gesteinigt. Nach den apokryphen Acta[5] läßt der Statthalter von Ikonium Paulus geißeln und dann "aus der Stadt werfen" - damit endet für Paulus die
Episode in Ikonium und er wird vorübergehend von Thekla getrennt, deren
Entscheidung für die asketische Lehre des Paulus und gegen die Ehe mit

1 Apokr. II, S. 243 f. (Kap. 5).

2 Apokr. II, S. 244 (Kap. 6).

3 Mit dieser Benennung wird Thekla im manichäischen Psalmenbuch ausgezeichnet (ed.
   C.R.C. Allberry, Stuttgart 1938, S. 191 und S. 192, Z. 25).

4 Diese Turmmetaphorik begegnet in asketischer Literatur sehr oft, und nicht nur da.
   Ein prägnantes Beispiel, schon aus dem 2.Jh.v.Chr., entnehmen wir aus W.Bauers
   Wörterbuch zum NT, Berlin 1963⁵,1448: "fällt der Turm, so auch die 25 Jungfrauen".

5 Apokr.II,S.246 (Kap.21).- Der Heidelberger Papyrus der alten Acta Pauli erwähnt
   noch eine andere Steinigung des Apostels in Antiochien (ebd.S.242f).

ihrem Verlobten Thamyris Aufruhr hervorgerufen hat. Hier also kein Wort
von Steinigung! Die Elfenbeintafel sieht das offenbar anders; sie will
den apokryphen Text, der links illustriert ist, mit der kanonischen Apostelgeschichte, auf die sich das Steinigungsbild rechts bezieht, harmo-
nisieren und stellt die in Apg. 14,(5) 19 berichtete Steinigung des Paulus dar als eine Reaktion der Leute von Ikonium auf die ihnen nicht ge-
nehme Bekehrung Theklas.

b) die eine Petrus-Tafel (Abbildung 1 links oben)

Auf den beiden anderen Tafeln, die hier noch besprochen werden müssen,
damit das Ganze recht in den Blick kommt und der Stellenwert des Theklabildes bestimmbar wird, sind Petrusszenen wiedergegeben. Die eine Tafel
zeigt rechts das Wasserwunder Petri im Mamertinischen Kerker. Die beiden
Soldaten an dem Sturzbach, der vom Felsen strömt, können namentlich benannt werden; sie heißen nach dem Martyrium Beati Petri Apostoli a Lino
Episcopo conscriptum: "custodes carceris, Processus et Martinianus"[1].
Diese beiden sprechen ebenda von dem Wunder, das Petrus im Kerker getan
hat: als sie zum Glauben gekommen waren, ließ Petrus "durch Gebete und
das wunderbare Kreuzzeichen einen Quell aus dem Felsen springen", worin
er sie "im Namen der heiligen Dreifaltigkeit taufte"[2]. Die Elfenbeintafel
läßt Petrus das Wunder mit einer Virga thaumaturga tun, und der eine Wächter beugt sich zum Trinken des Wassers nieder. Die Szene ist also wie das
Quellwunder des Moses für die durstigen Israeliten gestaltet[3]; getauft
wird nicht. Daran läßt sich sehen, daß der Bildschnitzer nicht von dem gerade zitierten Martyrium a Lino conscriptum abhängt; er arbeitet um 430[4]
und mag sich nach einem Text richten, der älter ist als das überhaupt erst
etwa dem 6. Jh. entstammende, von Linus geschriebene Martyrium[5].
Aber von einem Text wird er doch abhängen. Links neben der Szene des Mamertinischen Wunders steht nämlich noch eine männliche Einzelperson, die
eine Buchrolle hält, vor einem Torbogen. Es wäre falsch, sie als einen
Zeugen[6] für das rechts geschehene Wasserwunder aufzufassen. Zwar wendet
sich die Person ein wenig nach rechts, aber eben auch nur ein wenig. Sie
heftet den Blick nicht auf das Wunder, von dem sie durch einen auffallen-
den Zwischenraum getrennt ist, sondern blickt schräg daran vorbei, in den

---

1   Acta Apostolorum Apocrypha I, ed.R.A.Lipsius S.6 (Kap.5).

2   Ebd.,S.6f.

3   Und so auch oft gedeutet, z.B. von Volbach, Elfenbeinarbeiten, Nr.117, S.83, was
    aber sicher nicht zutrifft; richtig jetzt 'Age of Spirituality', S.508: "Peter
    brings forth water from a rock so that he can baptize the two soldiers he had con-
    verted while in prison. A witness to the miracle...".

4   So 'Age of Spirituality',S.507.

5   Vgl. Hennecke-Schneemelcher, Apokryphen II,S.400.

6   So 'Age of Spirituality', S.508.

Raum vor der Bildebene. Man vergleiche noch den Mann, der, zweifellos
als ein Zeuge, rechts am Rande der zweiten Petrus-Tafel steht: er schaut
deutlich nach links auf das dort vollzogene Erweckungswunder, nimmt daran durch Akklamation Anteil und steht, als ein Beteiligter, durch seinen Handgestus dem Geschehen buchstäblich näher, als jene Einzelperson
auf der anderen Tafel. Da der Schnitzer der Tafeln seine bildnerischen
Mittel einzusetzen weiß, gibt die Buchrolle als Würdezeichen einen Hinweis auf die Identität dieses für sich Stehenden. Auf der Thekla-Tafel
liest Paulus aus seiner Rolle; also wird der Einzelne mit der Rolle kein
anderer als Petrus sein, der mithin auf der Wasserwunder-Tafel zweimal
abgebildet ist, wie auch Paulus auf der Thekla-Tafel in zwei Szenen erscheint[1]. Petrus, vor dem Torbogen stehend: diese Szene erklärt sich,
wenn man nun im Martyrium a Lino conscriptum weiterliest. Die beiden
Wächter Processus und Martinianus als die Wortführer einer größeren Gruppe von Gläubigen bitten, nachdem sie - wie vorhin zitiert - noch das Wasserwunder bei ihrer Taufe erwähnt haben, inständig, der Apostel möge ihnen zuliebe fliehen, um der Hinrichtung zu entgehen. Dann heißt es: "Als
Petrus das von allen Seiten hörte, er der über menschliches Maß hinaus
Mitleidige, der die Tränen von Betrübten nie sehen konnte, ohne zu eigenen Tränen gerührt zu werden"[2], da läßt er sich erweichen und sagt: "Keiner von euch komme mit mir!" und flieht allein." Wie er aber aus dem Stadttor gehen wollte[3], sah er, daß Christus ihm entgegen kam, und ihn anbe-
tend sprach er: 'Herr, wohin gehst du?'" Die Szene, in der Petrus allein
vor dem Torbogen steht, ist also eine Illustration zum Quo Vadis. Petrus
hält auf der Flucht am Tore inne, er schaut eben den Herrn an, der ihm begegnet und der hier in feiner Weise nicht dargestellt wird. Die beiden
Szenen dieser Petrus-Tafel, Wasserwunder und Quo vadis, bilden, nicht minder als die beiden Szenen der Thekla- und Paulus-Tafel, einen erzählenden
Zusammenhang. Die Quo-vadis-Szene gehört, anders wohl als das literarisch
zuerst durch Linus bezeugte Wasserwunder, bereits zu den alten Petrus-
Akten des 2. Jh. und ist dann von Rezension zu Rezension tradiert worden.
Der erzählende Zusammenhang, daß es nämlich besonders die in Verbindung
mit dem Wasserwunder getauften Wächter Processus und Martinianus sind,
die Petrus zu der Flucht nötigen, bei der er dann am Tor mit dem Herrn
zusammentrifft, wird dem Elfenbeinschnitzer durch einen Text vorgegeben

---

1 Daß das Haar des Petrus vor dem Torbogen ein wenig anders wirkt als das Haar des
   Petrus beim Wasserwunder, dürfte nur an der verschiedenen Kopfhaltung liegen. Das
   Haar des Petrus auf der anderen Tafel, der eben die Tabitha erweckt, ist zur Ver-
   mittlung wohl geeignet.
2 Acta Apostolorum Apocrypha I, ed.R.A.Lipsius, S.7 (Kap.6).
3 Oder auch ging, wie es im griechischen Martyrium Petri 6 heißt: Acta Apostolorum
   Apocrypha I, ed.R.A.Lipsius, S.88.

gewesen sein; dieser Text scheint - wenigstens in dem hier sichtbar wer-
denden Ausschnitt - eine Vorstufe oder ein Vorläufer des erhaltenen, aber
weit späteren Linus-Werkes gewesen zu sein. Über den genaueren Charakter
dieses Quellentextes kann man Vermutungen anstellen, wenn man sich denkt,
daß etwa auch noch die Szenen der beiden anderen Täfelchen auf ihn zurückgehen: dann wäre es eine Petrus- und Paulus-Historie gewesen, die
Kanonisches und Apokryphes ineinanderwob oder eher in Episoden locker
aneinander reihte, weil das die leichteste Machart ist. Man wird in Rom,
woher wohl auch die Täfelchen stammen, daran Freude gehabt haben. Der
Schnitzer kann dann nach Miniaturen gearbeitet haben, die vielleicht
ihrerseits schon noch ältere Vorlagen kontrahierten[1]; jene Vorlagen müssen sich zum einen in rein kanonischen, zum anderen in apokryphen Zyklen
befunden haben.

c) die andere Petrus-Tafel (Abbildung 1 links unten)
Nach der Tafel mit den apokryphen Petrus-Szenen ist noch kurz jene mit
dem Erweckungswunder zu kommentieren. Sie illustriert einen kanonischen
Text: Apg. 9,36-43, die Erweckung der verstorbenen Tabitha. Da auch die
Thekla-Paulus-Tafel bei der Steinigung des Paulus sich auf die kanonische
Apostelgeschichte bezieht und daneben das Bild des apokryphen Geschehens
in Ikonium setzt, darf man die Tafel mit der Erweckung Tabithas und die
Tafel mit den apokryphen Petrus-Szenen als ein Paar zusammennehmen. Nach
chronologischer Ordnung der Taten wäre die Tabitha-Tafel dann als erste
zu betrachten und danach die Tafel mit den römischen Szenen.
Alles, was die Tabitha-Tafel zeigt, hat einen Anhalt im Text der Apostelgeschichte. Links sieht man eine Klagefrau mit aufgelöstem Haar, die eben
im Klagen innehält und mit einer Hand, noch etwas verschreckt und schüch-
tern, zum schon geschehenen Wunder akklamiert; vgl. Vers 39: zu Petrus
"traten unter Tränen alle Witwen", denen der Apostel nach Vers 41b dann
die Erweckte, welche Vorsitzende des Witwenkollegiums gewesen war, zu-
rückgibt. Zu Füßen Petri liegt in Proskynese eine andere Witwe; ob sie
den Apostel anfleht oder als Wundertäter verehrt, läßt sich nicht entscheiden. Tabitha auf ihrem reichen Bett (denn sie war reich, wie sich
aus Vers 36b ergibt, wo die Fülle ihrer guten Werke und Almosen erwähnt
wird) ist bereits aufgerichtet, wie Vers 40 sagt: "sie öffnete ihre Augen
und setzte sich auf, den Blick auf Petrus geheftet". Vers 41a: "Er aber
gab ihr die Hand und richtete sie auf". Das Bild zeigt also den Moment
nach dem ersten Befehl: 'Tabitha, stehe auf!' Die Bettdecke der Tabitha
ist mit Mustern verziert, denn nach Vers 39 Ende war Tabitha mit dem Wit-
wenkreis in textilen Arbeiten tätig gewesen. Der akklamierende Zeuge

1   Vgl. die Kontraktionen in der Thekla-und Paulusszene, hinter der ein Miniaturen-
    zyklus zu den Acta Pauli et Theclae steht.

rechts von Petrus ist entweder einer von den beiden Boten, die nach Vers
38 den Apostel herbeiholten oder er ist einer von den "Heiligen" der Gemeinde (Vers 41b), oder Simon der Gerber, bei dem Petrus dann mehrere Tage bleibt (Vers 43). Nur darin weicht die Darstellung stark vom Text ab,
daß nach Vers 40 das eigentliche Wunder und die Aufrichtung ohne alle
Zeugen geschah, denn Petrus hatte alle Leute aus dem Obergemach "heraus-
geworfen"; und er rief sie erst nach dem Wunder wieder herein. Aber ob
man so weit gehen soll, hier von Szenenkontraktion aus mehreren, dicht
aufeinander folgenden Bildern zu sprechen, bleibt doch fraglich.

Für die vierte, einst zu dem Kästchen gehörige und heute verlorene Tafel
darf man aus Paritätsgründen wohl eine große Paulusszene annehmen; welche, läßt sich beim besten Willen nicht sagen. Der Katalog 'Age of Spirituality' sagt noch: "Two fragments decorated with acanthus vines and
flowers, also in London, seem to belong to the same casket"[1]. Über den
Zweck des Kastens sagen die Bilder nichts Eindeutiges aus.

Für das Theklabild der besprochenen Elfenbeinplatten ergibt sich nach
allem, daß es hier nicht an sich dominant ist, sondern nur eine aposto-
lische Begebenheit unter anderen darstellt. Wichtig ist die Feststellung,
daß ein oder mehrere Miniaturenkränze vorausliegen[2]. Die deutlichste Parallele zu dem Bild der Thekla-Paulus-Tafel finden wir denn auch in einem Illustrationszyklus an dem Antependium von Tarragona (Kap.14 a, Abb.31).
Die über der Fensterbrüstung lehnende Thekla erscheint noch auf einem
Kapitell des 5.Jahrhunderts, das sich heute im Museum in Adana befindet
und vielleicht aus Seleukia, dem früheren Wallfahrtsort der Heiligen,
stammt (Abbildung 2).

---

1   'Age of Spirituality', S. 507. Unsere Abbildung 1 rechts unten.
2   S. 'Age of Spirituality', S. 508: "It is likely that these scenes from the lives
    of two apostles originated in an extended narrative cycle, perhaps a now lost
    illustrated apocryphal text ... The Peter and Paul ivories are important evidence
    of the variety of Early Christian narrative art, which also included apostolic
    cycles".

Kapitel 2

Lehrszenen

a) Das Thekla-Paulus-Bild in der Friedenskapelle von El-Bagawat (Abb.3)
In der Kapelle 80, der Friedenskapelle in El-Bagawat, befindet sich
neben einer Reihe von biblischen Szenen[1] und Personifikationen[2] auch
ein Thekla-Paulus-Bild[3]; wie alle anderen Figuren der Malerei sind beide durch Beischriften gesichert: zur Kuppelmitte hin steht in einem
schmalen dunklen Streifen oberhalb der Köpfe 'Thekla' und 'Paulus' geschrieben.

Paulus und Thekla sitzen einander auf Faldistorien gegenüber, sie links,
er rechts, beide haben die Beine übereinander geschlagen. Thekla trägt
eine Tunika, vielleicht auch einen Mantel; sie wird von einem großen
Schleier umgeben, der von ihrem Kopf mit langem, gelocktem Haar bis zur
Sitzfläche des merkwürdig hohen Stuhles reicht, den ein großes Sitzkis-
sen bequem macht[4]. Thekla hält in der linken Hand eine dunkelgerahmte
Tafel, die einem Diptychon gleicht, mit der rechten faßt sie einen Stilus.
Auch Paulus hält in seiner auf Thekla hin ausgestreckten Rechten einen
Stilus, der aber von heller Farbe ist, in der linken sehr wahrscheinlich
ein Tintenfaß[5]. Der Apostel trägt Tunika und Pallium, dessen Zipfel über
den linken Arm herabfällt; wie bei Thekla ist auch sein Kopf vor einen
schleierartigen Hintergrund gemalt[6].

Paulus und die sehr männlich wirkende Thekla sind auf diesem Bild in
der Art der Lese- und Lehrszenen wiedergegeben, allerdings in besonderer
Weise. Beide sitzen, ihre Gestalten sind in der Größe einander gleich.
Beide halten einen Stilus, Thekla dazu ein Diptychon, Paulus das Tinten-

---

1 Es sind dies Adam und Eva, das Isaakopfer, Daniel zwischen den Löwen, Jakob, die
   Arche Noah und ein Marienbild, das wohl als Verkündigung zu verstehen ist. -
   Zu El-Bagawat: A. Fakhry, The Necropolis of El-Bagawat in Kharga Oasis, Cairo 1951;
   K. Wessel, in RBK II,1971, 76-90 s.v. 'El-Bagawat'.

2 Es handelt sich um die Figuren der Gerechtigkeit, des Gebetes und des Friedens;
   letztere gab der Kapelle den Namen.

3 Die Szene ist abgebildet bei Fakhry, Necropolis, fig. 71 und pl. I, XXI, XXIV
   (vgl. S. 78 und S. 80); ferner in: DACL I,2,2577, fig. 850; DACL II,1,1513 f., fig.
   1811 und DACL XII,2,1829, fig. 8981.

4 Zu den Farben s. Fakhry, Necropolis, S. 78: "Thecla wears a green dress whose folds
   are drawn in either dark green or red lines ... the white long veil is put over her
   head and falls at the sides ... the stool ... is coloured yellow and she sits over
   a red cushion on it"; vgl. dazu auch die Angaben in DACL I,2,2578.

5 Fakhry, Necropolis, S. 78: "He holds in his right hand a pen and in his left hand
   there is an object which might be the ink-pot (?)"; anders DACL I,2,2578: "... on
   reconnaît un objet cruciforme que Paul semble tenir dans cette main". Zur Darstellung von Tintenfässern vgl. z.B. die Verkaufsszenen auf den koptischen Josefsstof-
   fen: C. Nauerth, Die Josefsgeschichte auf koptischen Stoffen, in: Enchoria VIII,2,
   1978, S. 151-159.

6 Zu den Farben vgl. wieder Fakhry, Necropolis, S. 78: "Paul wears a white robe ...
   the stool of Paul is coloured white and green ...", s. auch DACL I,2,2578.

faß, also Schreibgerät. Nicht Buch oder Rolle sind hier, wie so häufig
bei ähnlichen Szenen, die Attribute, sondern Schreibtafel und -griffel.
Die schreibende Thekla hat daher ihre nächsten Parallelen in Autoren-
bildern etwa der Evangelisten, welche die Botschaft in ein Buch, eine
Rolle oder ein Diptychon hineinschreiben[1]. Thekla notiert mit ihrem
Stilus in das Diptychon, was Paulus sie lehrt. Ungewöhnlich ist aber
bei unserem Bild, daß Paulus in der Rechten, die er wie im Lehrgestus
vorstreckt, ebenfalls einen Stilus hält (obwohl er doch kein Buch o.
dgl. hat) und diesen auf Thekla richtet. Man könnte diese Besonderheit
so erklären, daß Paulus selbst die Lehre schon empfangen hat: er ist
nicht selbst deren Urheber, sondern bereits Rezipient und nur einer, der
das aufgenommene Evangelium seinerseits weitergibt. Eine solche Deutung
läßt sich grundsätzlich auf das ganze Leben der Thekla beziehen; sie,
die Schülerin, lernt von und bei ihrem Lehrer Paulus. Aber nun läßt sich
die dargestellte Situation durch eine Einordnung der Lehrszene in den
Lebensverlauf der Heiligen doch noch näher präzisieren.

An die Szene im Gefängnis, wo der Apostel die Heilige in die christliche
Lehre einweist, ist nicht zu denken, denn bei der Gelegenheit "saß" Thekla "zu seinen Füßen", wie die Acta (Kap. 18) sagen; vielmehr scheint
eine Episode am Ende der Thekla-Akten auf unser Bild besonders gut zu
passen. Es ist die eigentliche Beauftragung der Thekla als Missionarin:
sie war, nachdem sie sich selbst getauft hatte, ihrem Lehrer nach Myra
gefolgt und wollte von dort nach Ikonium aufbrechen: Paulus "führte sie
in das Haus des Hermias" und hörte von ihr alles, was sich ereignet hatte.

---

1 Beispiele: Evangelist Markus mit Rolle im Rossano-Evangeliar (Abbildung: K. Weitzmann, Spätantike und frühchristliche Buchmalerei, München 1977, Nr. 33, S. 97);
paarweise einander gegenüber sitzende Evangelisten, von denen einzig Matthäus
schreibt, in dem Xantener Evangeliar in Brüssel (Abbildung z.B. Beissel, Geschichte der Evangelienbücher im Mittelalter, 1906, S. 171, Abb. 48); Matthäus mit Lehrgestus, Johannes in eine Rolle schreibend, einander als Paar gegenüber im Rabbula-
Codex, fol. 9v (Abbildung:Weitzmann, a.a.O., Nr. 35, S. 99); Petrus mit Lehrgestus
diktierend, Markus ihm gegenüber sitzend und in ein Diptychon schreibend auf einer
Elfenbeintafel im Londoner Victoria- und Albert-Museum, 270-1867 (Abbildung: Volbach, Elfenbeinarbeiten 1976,³ Nr. 243 = Age of Spirituality Nr. 490, S. 546).
Vgl. zur Darstellung noch A. Grabar, Martyrium II, Recherches sur le culte des
reliques et l'art chrétien antique, London 1972, S. 23: "l'apôtre saint Paul et
sainte Thècle, la même qui fut représentée au premier hypogée, mais, cette fois,
en disciple de l'apôtre et, à ce titre, assise comme lui et en face de lui, prête
à enregistrer sur un livre les paroles de l'apôtre", dazu Anm. 3: "Elle tient des
tablettes en forme de diptyque et le calme. L'iconographe a appliqué au groupe saint
Paul-sainte Thècle le type courant du maître enseignant oralement et du disciple
mettant par écrit ses paroles, image appelée à certifier l'authenticité de la tradition écrite d'une doctrine. L'art chrétien l'étendit même aux représentations
des prophètes-témoins de visions divines. ..." S. auch M.L. Thérel, La composition
et le symbolisme du mausolée de l'exode à El-Bagawat, in RACrist 45, 1969, 264,
Anm. 110: "... saint Paul, assis, semblant dicter à Thècle qui, assise à côté de
lui, écrit et tient de sa main gauche un livre posé sur ses genoux".

Und Thekla stand auf und sprach zu Paulus: Ich gehe nach Ikonium. Paulus
aber antwortete: Gehe hin und lehre das Wort Gottes"[1]. Dieser Auftrag
an Thekla ist in der dem Basilius zugeschriebenen Vita[2] dann zum Range
einer Apostelschaft fortentwickelt; ja Thekla ist eine vollkommene Apostolin unter den Aposteln, erläutert Niketas[3]. Die Lehrszene in El-Bagawat ist mithin als Beauftragung Theklas zu interpretieren; Thekla erscheint in apostolischer Würde[4] - daher die Entsprechung zu den Evange-
listenbildern. Die schreibende Thekla läßt schließlich daran denken,
daß Methodius[5] und Basilius[6] die Heilige als hochgebildet hinstellen.

b) Anhang zu den Lehrszenen

Ergänzend muß noch erwähnt werden, daß sich in einer anderen Kapelle
von El-Bagawat[7] eine weitere Lehrszene befindet; sie wird unserem Bild
in der Friedenskapelle gelegentlich an die Seite gestellt; allerdings
ist sie fast gänzlich zerstört und trägt deshalb zur Deutung nichts bei.
Weiterhin erwähnen wir hier noch ein Relief in Etschmiadzin, das ebenfalls eine Lehrszene mit Thekla und Paulus aufweist[8] (Abbildung 4):
links steht die heilige Thekla, und rechts sitzt auf einem Faldistorium
der Apostel Paulus; beide sind durch Inschriften gesichert. Möglicherweise ist auch hier wieder Paulus im Gefängnis dargestellt und Thekla,
die ihm dorthin folgt: "(Thekla) g i n g nun zu Paulus hinein und sie
setzte sich ihm zu Füßen und hörte ihn die großen Taten Gottes verkünden"[9].
Vgl. noch das große Mittelbild auf dem Antependium von Tarragona (Abb.**31**).

1 Apokr.II,S.250 (Kap.41).

2 Dagron, S.274,58ff; 280,1-3.36; auch S.416,15. Ebenso Acta Kap.43 Codex G (ed.Lip-
   sius, p.269 Z.5 von unten).

3 Niketas, Oratio XVI, in laudem S.Theclae, in: Migne PG 105,329c,333.

4 Vgl. das erste pseudocyprianische Gebet (DACL XIII,2,2697): "Assiste nobis sicut
   apostolis in vinculis, Theclae in ignibus, Paulo in persecutionibus, Petro in
   fluctibus".

5 Methodius von Olympos, Convivium decem virginum, in: Migne PG 18,137 = GCS 27,
   (1917) Symposium VIII,1,p.80.

6 Z.B.Basilius, Thekla-Wunder 31, das dem Autor selbst widerfährt: Dagron, S.372ff.
   Basilius legt noch besonderen Wert auf die Gelehrtheit Theklas, weil Thekla ja die
   kluge Athene bei ihm in Kultkonkurrenz verdrängt.

7 Fakhry, Necropolis, (zu Kapelle 83) S. 80: "... are two persons sitting on chairs
   opposite one another. The one at the right seems to be female and holds in her hand
   a rectangular object painted yellow. The man, sitting at the left, has a scarf
   thrown over his shoulders and holds something in his hand which is not easy to
   identify. This scene reminds us of Thekla and Paul in Nr. 80. Behind Thekla (?)
   there is a decoration which might represent a house which continues on the other
   wall and may be connected with the next scene on it (see fig. 74)".

8 In DACL II,2,2668, fig. 2221 s.v. 'Caucase': vgl. U. Fabricius, Die Legende im
   Bild des 1. Jahrtausend der Kirche, Kassel 1957, S. 110; J.E. Weis-Liebersdorf,
   Christus- und Apostelbilder. Einfluß der Apokryphen auf die ältesten Kunsttypen,
   Freiburg 1902, S. 72, Anm. 3.

9 Apokr. II,S.246 (Kap.18).

Kapitel 3

Die Thekla-Malereien in der Exodus-Kapelle von El Bagawat (Abb. 5 - 7)

Das Martyrium der heiligen Thekla in Ikonium, wo sie zum Feuertod auf
dem Scheiterhaufen verurteilt wird[1], war in der frühchristlichen Kunst
bis vor kurzem nur ein einziges Mal nachzuweisen[2], nämlich unter den
Malereien der Exodus-Kapelle in El-Bagawat[3]. Dort ist Thekla dargestellt,
wie sie betend in den Flammen steht. Links von ihr schrieb man ihren Namen "Thekla". Neben diesem inschriftlich gesicherten Theklabild wurden
noch drei weitere Szenen angebracht, die ebenfalls mit Theklas Leben
und Wirken zusammenhängen, in ihrer Deutung aber bislang nicht geklärt
sind. Es handelt sich 1. um eine Orantenfigur in einer Höhlung, über der
sich ein mächtiger Baum erhebt und 2. um eine Reihe von sieben Jungfrauen
- Parthenoi steht zweimal über ihren Köpfen geschrieben -, die auf ein
Gebäude zuschreiten, das Säulenfront und breite Fassadentreppe zeigt.
Das Orantenbild füllt den Platz unterhalb der betenden Thekla, während
sich der Zug der Jungfrauen nach links hin, von Thekla wegbewegt. Ein-
zugehen ist 3. auf den 'Poimen', der rechts vom Scheiterhaufen mit seinen Schafen dargestellt ist.

Wir beginnen mit dem inschriftlich gesicherten Theklabild. Die Darstellung
der heiligen Thekla in den Flammen des Scheiterhaufens ist bis in die Einzelheiten hinein gut zu erkennen: Die Märtyrerin trägt offenbar eine Tunika mit langen Ärmeln und steht - die Arme betend erhoben[4] - inmitten einer Art Grube[5], in der die Flammen an Reisigzweigen züngeln. Über ihr reg-

1 Text: Acta Pauli et Theclae: Apokr. II S. 246 f. (Kap. 21 f.); Vita Theclae des Basilius cp. 12 - 14 (Dagron, S. 216 ff.); zum Verfasser, der nicht, wie lange angenommen, mit dem Bischof von Seleucia identisch ist: G. Dagron, L'Auteur des 'Actes' et
   des 'Miracles' de Sainte Thècle, in: Analecta Bollandiana 92, 1974, S. 5 - 11; außerdem vgl.: H. Stern, Les peintures du Mausolée de l'exode à El-Bagawat, in: CArch
   11,1960, S. 100 ff.

2 Unter den Malereien eines Grabes in Thessaloniki wurde jetzt ein weiteres Bild der
   Thekla auf dem Scheiterhaufen entdeckt und auf dem 10. Internat. Kongreß für Christliche Archäologie 1980 vorgestellt: T. Pazaras, Δύο παλαιοχριστιανικοὶ τάφοι στὸ
   δυτικὸ νεκροταφεῖο Θεσσαλονίκησ. Neben Thekla ist dort auch Christus dargestellt;
   dazu s. den weiteren Text zum 'Poimen'. - Vgl. noch das folgende Kapitel 4a.

3 Abbildungen: K. Wessel, Koptische Kunst, Die Spätantike in Ägypten, Recklinghausen
   1963, Farbtaf. VI c bei S. 152; Stern, Peintures, fig. auf S. 98, Detail fig. 8,
   S. 104; W. de Bock, Matériaux pour servir à l'archéologie de l'Egypte chrétienne,
   Petersbourg 1901, Taf. IX; DACL II,1, fig. 1188 s.v. 'Bagawat'; A. Grabar, Martyrium. Recherches sur le culte des reliques et l'art chrétien antique II, London
   1972, pl. XXXV, 1.2; J. Schwartz, Nouvelles études sur les fresques d'El-Bagawat,
   in: CArch 13,1962, S. 4 hält die Theklamalereien (Thekla auf dem Scheiterhaufen
   und in der Höhlung) für später als die sonstigen in der Kapelle.

4 Stern, Peintures, S. 100: ... "tunique longue à manches ... étendant les bras en
   croix". Die Acta (Kap. 22) wie auch die Vita (Kap. 12 Ende, Dagron, S. 218) berichten, Thecla sei nackt.

5 Die Grube entsteht wohl dadurch, daß man um die zum Feuertod Verurteilten herum
   die Reisigbündel hochstapelte: vgl. Apokr. II, S. 247 (Kap. 22).

net es aus einem wolkigen Himmelssegment heraus, das durch Sterne gekennzeichnet ist[1]. Da ein aus heiterem (im Bilde: sternklarem) Himmel[2]
losbrechendes Unwetter den Scheiterhaufen löschte, darf man in den vielen kleinen Strichen den plötzlichen Regenguß erkennen. Es heißt in den
Acta: "Die Jünglinge und Jungfrauen aber brachten Holz und Stroh herzu,
damit Thekla verbrannt würde ... Die Henkersknechte aber schichteten
das Holz auf und befahlen ihr den Scheiterhaufen zu besteigen. Sie aber
stieg auf das Holz, indem sie die Gestalt des Kreuzes machte (d.h.
sich als Orans hinstellte). Und obwohl ein mächtiges Feuer aufleuchtete, berührte das Feuer sie nicht. Denn Gott hatte Erbarmen und ließ
ein unterirdisches Grollen eintreten und von obenher überschattete eine
Wolke von Wasser und Hagel (das Theater) und ihr ganzer Inhalt ergoß
sich, so daß viele in Gefahr gerieten und starben und das Feuer ausge-
löscht, Thekla aber gerettet wurde"[3].

Fast alle Interpreten[4] sind sich daher darin einig, daß hier in Übereinstimmung mit der literarischen Überlieferung die Heilige dargestellt ist,
wie sie in Ikonium, zum Tod in den Flammen verurteilt, wunderbar gerettet
wird, weil ein plötzlicher Regen das Feuer löscht. Diese Bilddeutung ist
unzweifelhaft richtig. Allein A.Grabar[5] will in dieser Szene eine Apotheose der Heiligen sehen, die sich wie Jesus zum Himmel erhebt; allerdings lassen sich für ein solches Himmelfahrtsbild keine ikonographischen

1   Stern, Peintures, S. 100: ... "un objet bleuâtre ... petites croix blanches ...
    entre cet objet et sainte Thècle le fond est couvert de traînées verticales gri-
    sâtres ... Ce serait un segment du ciel ..."; zu ikonographischen Parallelen ebd.
    S. 102.

2   Stern, Peintures, S. 102 nennt "les bras étendus en croix et le ciel serein". Das
    sind aber die der Basilius-Vita eigentümlichen Züge. Läßt sich diese Beobachtung
    dann für die Datierung der Malereien auswerten? Wenn die Malerei die Vita voraus-
    setzt, dann müßte sie nach dieser entstanden sein. Vielleicht ist aber auch eine
    Quelle (!) der Basilius-Vita für die Malerei bestimmend gewesen.

3   Apokr. II, S. 247 (Kap. 22).

4   Z.B.: De Bock, Matériaux, S. 23; Zaloscer, Kunst im christlichen Ägypten, S.149 f.;
    Stern, Peintures, S. 100 ff.; Schwartz, Etudes, S. 4: ..."le bûcher et le miracle
    qui suivit"; M.L. Thérel, Disposition et symbolisme de l'iconographie du mausolée
    de l'exode, in: RACrist 45, 1969, S. 263: "le martyre de la sainte condamnée au
    bûcher et préservée des flammes par une pluie miraculeuse".

5   Grabar, Martyrium II, S. 21: "... la même sainte réapparait, volant, les genoux
    pliés et les bras étendus dans la direction d'un segment de ciel étoilé"; vgl.
    S. 22: "Exceptionnel dans l'iconographie antique des saints, ce vol, qui rappelle
    l'Ascension du Christ ou l'apothéose des divi augusti, convenait mieux qu'a qui-
    conque à la célèbre martyre de Séleucie: n'emprunta-t-elle pas, à maintes reprises,
    la voie des airs pour se transporter de son sanctuaire principal dans un autre mar-
    tyrium qui lui était dédié à Dalisandos, pour y assister en personne à des fêtes
    célèbres en son honneur?" Vgl. Anm. 2: "... Il est vrai que sur la fresque, le char
    de feu n'est point représenté. Thècle s'élève seule dans les airs. Aussi, vau-
    drait-il mieux y reconnaître une illustration de la phrase finale de la version
    dite G des Actes de saint Paul et sainte Thècle: lorsqu'elle eut 90 ans, le Christ
    l'aurait reprise chez lui".

Parallelen anführen, was Grabar selbst bemerkt. Dennoch bleibt er bei
dieser Deutung, vor allem auch deshalb, weil er das unmittelbar darunter befindliche Bild vom 'Oranten in der Höhlung' als Pendant versteht. Diese Szene interpretiert er - wie übrigens fast alle anderen
Forscher[1] auch - als eine Darstellung von Theklas Lebensende. Die Heilige floh vor Verfolgern in eine Erdhöhle und wurde dann im Gebet entrückt[2]. Obwohl einige wichtige Einzelheiten des Bildes bei dieser Deutung nicht geklärt werden können, gilt es so weithin als eine Darstellung von Theklas Verschwinden in der Erde. Aber gerade die Details lie-
fern uns den Beweis, daß es sich um eine andere Szene aus dem Leben
der Thekla handeln muß. Dargestellt ist eine Art Höhle, in deren Dunkel[3]
eine betende Figur steht. Sie trägt eine Tunika und erhebt beide Arme
wie üblich zum Gebet. Eine Inschrift fehlt - ist vielleicht auch ver-
blaßt[4]; jedenfalls läßt sich zunächst nicht klären, ob ein Mann oder
eine Frau wiedergegeben ist. Unmittelbar über dem Scheitel der Höhlung
wächst ein großer Baum mit Zweigen und länglichen Blättchen empor, sein
mächtiges Geäst berührt links oben schon das Bild von Thekla, die auf
dem Scheiterhaufen betet. Dieser die Szene mitbestimmende Baum blieb
bisher ungeklärt oder wurde allgemein als ikonographisches Kennzeichen
für die Landschaft verstanden. Links neben der Höhle ist ein Quadrat
mit Vierfeldereinteilung und zwei übergreifenden Bögen dargestellt, in
dem man - ganz zu Recht - eine Tür erkannt hat[5]. Es besteht aber keine
Notwendigkeit, diese Tür als Eingang zur seleukenischen Theklagrotte[6],
worin die Heilige der Legende nach zuletzt verschwand[7], zu verstehen.

---

1   Wulff und Fakhry sahen in dieser Gestalt Sarah, die um Isaak weint (Stern, Pein-
    tures, S. 105) und Thérel, Iconographie, S. 270, wollte in der Orantin das Bild
    der verstorbenen Grabinhaberin selbst erkennen.

2   Stern, Peintures, S. 104 ff.; Schwartz, Etudes, S. 4: "sa disparition, vivante,
    sous terre"; Grabar, Martyrium I, S. 65 und II, S. 21 f.: "elle entre dans une
    grotte et disparut, engloutie par le rocher qui s'ouvrit devant elle". Zu dieser
    Szene, die auf einem der Brooklyn-Reliefs dargestellt ist, s. hier Kap. 12.

3   De Bock, Matériaux, S. 23: "sur un fond foncé". - Unsere Abbildung 7.

4   Vgl. Abbildung in DACL II,1,fig.1188.

5   De Bock, Matériaux, S. 23 war das Gebilde rätselhaft; seit Stern, Peintures, S.104,
    darf es als geklärt gelten: "une porte à deux battants, chacun divisé horizonta-
    lement en deux panneaux et surmonté d'un arc".

6   Grabar, Martyrium II, S.21, note 2: "L'édicule à côté du tertre de S.Thècle
    ... est carré; il est partagé en quatre compartiments par un cadre en croix; on y
    distingue des dessins imprécis, sur chacun des compartiments. A mon avis, l'image
    figure la porte d'entrée de la grotte de S. Thècle ... Transformée en chapelle
    souterraine, cette grotte avait une entrée spéciale, sous le mur Sud de la basili-
    que". Stern, Peintures, S. 105: "La sainte serait montrée au moment de sa
    disparition, la porte à gauche serait l'entrée de sa grotte"; vgl. auch Schwartz,
    Etudes, S. 5.

7   Zum Problem der verschiedenen Gestaltung des Lebensendes von Thekla s. u. a. Stern,
    Peintures, S. 105; Thérel, Iconographie, S. 267; E. Hennecke, Handbuch zu den neu-
    testamentlichen Apokryphen, Tübingen 1904, S. 372 f., 376 f.; s. auch Dictionary of

Wir geben eine andere, neue Deutung dieser Szene: Das Bild mit Höhle, darin ein Orans, mit Baum und Tür, paßt, wie wir glauben, sehr viel besser zu einer Begebenheit in Theklas Leben, die unmittelbar mit dem Martyrium der Heiligen in den Flammen verbunden ist. Die Thekla-Akten erzählen uns nämlich[1], daß zu derselben Zeit, als Thekla in Lebensgefahr schwebt, ihr Lehrer Paulus zusammen mit seinem Jünger Onesiphorus in dem Ort Daphne in einem geöffneten Grab wohnt. Dort betet Paulus im Unterhemd darum[2], das Feuer möge Thekla nicht anrühren, sondern Christus solle ihr beistehen. Diese Situation hat der Künstler festgehalten: Es ist Paulus, der in der Wohngruft des Onesiphorus für Thekla betet, während sie inmitten der Gefahr tatsächlich schon gerettet ist. "Ich preise dich, daß du das, worum ich dich bat, so schnell getan hast und hast mich erhört"[3], sagt Paulus in seinem Bittgebet zuletzt, als Thekla leibhaftig vor ihn tritt. Thekla war nämlich inzwischen schon von Ikonium herbeigekommen und sie hatte sogar noch Gelegenheit, das Bittgebet des Paulus zu belauschen. Die Tür links im Bild ist der Eingang des unterirdischen Grabes, das als Haus und Wohnung genutzt wird. Darüber wächst der üppige Baum. Er, der die Szene so sehr beherrscht, hat wohl noch eine besondere Bedeutung: Er drückt im Bild aus, daß wir uns in Daphne, d.h. beim Lorbeerbaum befinden. Und genau dort spielt sich ja auch die geschilderte Szene ab: Paulus betet im Hause des Onesiphorus, das ein geöffnetes Grab ist und in Daphne liegt[4].
Zur Abgrenzung dieser Szene ist noch eine Anmerkung notwendig. Rechts neben der Wohnhöhle steht eine Figur, die offenbar die Arme verschränkt hält. Sie hat nichts mit unserer Szene zu tun, wie gelegentlich vermutet wurde[5]; es muß sich vielmehr um den gebundenen Isaak handeln, der

Christian Biography, London 1887, IV, Sp.885,888,890; vgl. hier Kap.12.

1 Apokr.II,S.247 (Kap.23 und 24): "Paulus aber weilte fastend mit Onesiphorus, seiner Frau und seinen Kindern in einer offenen Grabanlage an dem Wege, auf dem man von Ikonium nach Daphne gelangt. Nachdem aber viele Tage vergangen waren, während sie fasteten, sprachen die Kinder zu Paulus: 'Wir haben Hunger'... Als der Sohn des Onesiphorus aber beim Einkaufen war, sah er seine Nachbarin Thekla und erschrak und sagte: ...'Komm, ich führe dich zu Paulus, denn er seufzt um dich und betet und fastet...'. Als sie aber zu dem Grabe trat, hatte Paulus die Knie gebeugt und betete...".

2 Nach Acta Kap.23 (Apokr.II,S.247) hat Paulus sein Oberkleid als ein Zahlungsmittel fortgegeben.

3 Apokr.II,S.247 (Kap.24).

4 Zur Frage, um welches Daphne es sich handelt, das berühmte bei Antiochia oder ein anderes, sonst unbekanntes im Umkreis von Ikonium, s.: Hennecke, Handbuch, S.375f.; DCB IV,1887, Sp.883, 885f.; Th.Zahn, Rezension zu C.Schlau, in: Göttingische Gelehrte Anzeigen 1877, S.1300. Vgl auch den Aktentext selbst: Apokr.II,S.248 (Kap.26): "Paulus entließ den Onesiphorus mit seiner ganzen Familie, nahm Thekla darauf zu sich und kam nach Antiochien". Vgl. unser Kap.12b.

5 Grabar, Martyrium II,S.22 erläutert die Figur im Sinne seiner Deutung: "Tandisque le poursuivant reste arrêté devant la grotte qui s'est refermée derrière la sainte."

zusammen mit einem kleinen Altar (gerade unter den Wasserspuren), dann
dem inschriftlich gesicherten Abraham und dann dem Busch nebst Widder
die nächste, rechts anschließende Szene der Isaakopferung[1] bildet. Vielleicht darf man aber die beiden Kamelführer links von dem Wohngrab (und
unterhalb der 'Jungfrauen') noch in die Darstellung miteinbeziehen: es
könnten Thekla und der Sohn des Onesiphorus sein, die von Ikonium zur
Wohnhöhle in Daphne streben[2]. Ganz sicher ist freilich diese Deutung
nicht, aber eine bessere Erklärung für die beiden sonst durchweg uner-
klärten Kamelführer ist wohl nicht zu haben.

Der folgende Abschnitt beschäftigt sich mit dem Hirtenbild, das rechts
von der Thekla auf dem Scheiterhaufen dargestellt ist. Es zeigt unter
der Beischrift 'Poimen' einen Hirten mit Stab und mehrere Schafe. Die
Schafe und der Hirte wenden sich nach links der Thekla zu, und Thekla
schaut ihrerseits nach rechts zu dem Hirten, was am Profil ihres Kopfes
deutlich wird.

Das Hirtenbild an dieser Stelle ist kein Zufall, wie man bisher angenommen hat[3], sondern steht ebenfalls in enger Beziehung zu Theklas Leben.
Denn als die Heilige auf dem Scheiterhaufen im Amphitheater von Ikonium
in den Flammen sterben soll, da sucht sie, wie es in den Acta, Kap.21
heißt, nach ihrem Lehrer Paulus, "genau so wie ein Lamm in der Wüste
nach dem Hirten umherschaut". Thekla entdeckt unter den Zuschauern auf
den Rängen tatsächlich ihren Lehrer Paulus und sie ruft aus: "Als ob ich
nicht standhaft wäre, ist Paulus gekommen, um nach mir zu sehen!" In diesem Augenblick verschwindet aber die Gestalt des Paulus vor ihren Augen
in den Himmel. Der Leser der Acta begreift, daß es Christus war, der die
Gestalt des Paulus angenommen hatte. Es heißt in den Acta: "Thekla sah
ihn unverwandt an, er aber ging fort in den Himmel". Der Text der Acta
berichtet also von einer Vision, die Thekla auf dem Scheiterhaufen hatte.
Und eben diese Vision ist hier dargestellt, denn wiedergegeben ist der
Herr als Hirte. Weil der 'Paulus', den Thekla sah, in Wirklichkeit Christus selbst war, kann er hier in unserem Bild als der Gute Hirt erscheinen, nach dem Thekla sich wie ein Lamm umschaut[4].

1   Von daher versteht man, daß Wulff und Fakhry (vgl. S.14, Anm.1) die betende Figur
    in der Höhle als zu Hause klagende Sarah identifizieren wollten.

2   Allerdings sagt der Text (Apokr.II,S.247,Kap.23-24) kein Wort davon, daß Thekla
    und der Sohn des Onesiphorus beritten waren oder Kamele hatten.

3   Stern, Peintures,S.106f.: "On serait en effet surpris de voir le Bon Pasteur occu-
    per une place aussi effacée, alorsque dans les catacombes et sur les sarcophages
    il forme le centre des compositions".

4   Man erinnert sich bei dieser Vision des Guten Hirten unwillkürlich auch an die Vi-
    sion des Pastor Bonus in dem Martyrium der Heiligen Perpetua und Felicitas (Kap.4).
    Vgl. auch die Angabe des Joannes Moschus (7.Jh.), der die Geschichte von des Herrn
    Erscheinung kennt, die Thekla zuteil wurde, im: Pratum spirituale 20.

Nun stellt sich die Frage: Ist die Vision in der Hirtengestalt ein Einfall
des Malers von El-Bagawat, bzw. seiner Vorlage und geht dies Bild einfach
auf die heutigen Paulus-Thekla-Akten zurück oder konnte der Maler auf eine andere, ältere und detailliertere Form der Akten zurückgreifen und
hat dann danach die Hirtenvision gemalt? Man muß ja berücksichtigen, daß
die Entstehung der heute vorliegenden Paulus-Thekla-Akten mit Sicherheit
sehr kompliziert ist; allenthalben bietet dieser Text Motivansätze, die
dann unentwickelt bleiben, also Indizien einer Verstümmelung, einer Zen-
sur sind. Die aufgeworfene Frage kann man nur offenlassen. Zu den bisher
vorgeführten Thekla-Bildern von El-Bagawat läßt sich also zusammenfassend
festhalten: In ihnen stellt der Künstler nebeneinander dar, was auch im
Acta-Text in den Kapiteln 21 bis 25 gleichzeitig spielende Ereignisse
sind: Theklas Vision und ihre Rettung aus den Flammen und das Gebet des
Paulus in Daphne (dazu vielleicht noch die schleunige Ankunft Theklas
ebenda).

Zu dem Hirtenbild, dessen Beischrift 'Poimen' lautet, ist noch eine Nach-
bemerkung fällig. Man muß sich bei dieser Bezeichnung auch noch speziell
an den 'Poimen' schlechthin, nämlich den Hirten des Hermas erinnern.
Diese Schrift, die gerade wie die apokryphen Paulus-Akten[1] in Ägypten
zeitweilig kanonischen Rang besessen hat,[2] erwähnt außer dem Hirten noch
12 Jungfrauen bzw. sieben Frauen, die am Turm der Kirche tätig sind[3].
Und eben eine Darstellung von sieben Jungfrauen ist auch auf unserer Malerei in El-Bagawat mit den Theklaszenen, also auch mit dem Poimen verbunden. Wir wollen keineswegs behaupten, daß der Poimen und der Zug der
sieben Parthenoi Hermas-Illustrationen sein sollen. Aber das Hermasbuch
wird doch in Bezug auf die Theklabilder einen gewissen, inspiratorischen
Einfluß gehabt haben. Diesem letzten Bild, dem Zug der sieben Jungfrauen,
wenden wir uns nun zu.

Es handelt sich um eine Reihe von Jungfrauen, die unter der zweifach an-
gebrachten Inschrift 'Parthenoi'[4] nach links hinschreiten, auf ein Gebäude zu, dessen Eingangsfront vier Säulen und einen Giebel zeigt; davor
ist in ganzer Breite eine Treppe mit vielen Stufen gelegt. Alle sieben
Jungfrauen halten in der rechten Hand eine Kerze[5], in der linken ein

---

1   J.Leipoldt, Geschichte des neutestamentlichen Kanons I,Leipzig 1907,S.258-262;
    H.Urner, Die außerbiblische Lesung im christlichen Gottesdienst, Berlin 1952,
    S.59, Anm.59.

2   Leipoldt, a.a.O.,S.77 - bes.Anm.4 - bis S.85.

3   Hirt des Hermas, Sim.IX,2,3ff und Vis.III,8,1ff.

4   De Bock, Matériaux, S.23 berichtet, daß das eine der beiden Graffiti von roter
    Farbe sei.

5   Es müssen Kerzen sein, weil sie wegen des tropfenden Wachses ganz gerade gehalten
    werden; bei Fackeln wäre das nicht nötig. Anders: Stern, Peintures,S.104:

bauchiges Gefäß: möglich sind Krüge, Flaschen oder Weihrauchbehälter[1].
Alle Frauen tragen außer der üblichen langen Tunika einen über den Kopf
gezogenen Schleier, oder sie haben ihre Mantelenden so umgeschlagen.
In der Deutung dieses Bildes sind die Meinungen recht verschieden[2]. So
hat man hier z.B. das biblische Gleichnis von den fünf törichten und
den fünf klugen Jungfrauen erkennen wollen[3]. Aber diese Interpretation
führt zu dem mathematischen Problem, wie sieben gleich fünf sein soll[4].
Ungewöhnlich wäre auch das dargestellte Haus, ganz gleich, ob man es
als Haus des Bräutigams nach Mt 25,10 oder als himmliches Jerusalem,
sprich Paradies[5] versteht. Kurzum, diese Deutung ist so gut wie ausgeschlossen[6]. Eine andere Meinung sieht in dem Zug der sieben Parthenoi
die Töchter Jerusalems, die über ihre Stadt weinen; das Bild soll überdies von den 'Frauen am Grabe' mitbeeinflußt sein[7]. Diese eigentümliche
Mischikonographie wäre dann aber erst recht ein Problem. Und wieder eine

"des torches et des encensoirs"; Thérel, Iconographie, S. 235: "Torches".

1 De Bock, Matériaux, S.23: "des vases en forme de situles à la main". Weihrauchge-
   fäße wollen erkennen: Schwartz, Études,S.3; Stern, Peintures, S.104.- Der Zustand
   der Malerei erlaubt keine eindeutige Angabe. Aber vgl.unten S.20!

2 Vgl. Thérel, Iconographie passim, vor allem S. 224, 258 ff.

3 Dazu s. besonders: Stern, Peintures, S.104ff.; Thérel, Iconographie, S.225f., 237,
   258ff.; 265ff.; Schwartz, Études, S.3; De Bock, Matériaux, S.23.

4 Bei Stern, Peintures,S.105, Anm.7 werden mögliche Gründe für diese Zahl erörtert:
   "remplissage de l'espace", also Raumgründe (Kaufmann) oder "simplement une plura-
   lité de personnes (Wulff)"; dazu s.den weiteren Text.

5 Thérel, Iconographie,S.237, 258ff.; dort dann verstanden als 'nouvelle alliance';
   die Verf. sieht die in der gleichen Kapelle dargestellten Stammeltern als inhaltlichen Kontrapunkt an (S. 260 und S. 269): "Cette porte, située immédiatement ...
   est symétrique ... à celle de l'Eden, vers laquelle se dirigent les protoplastes.
   Dès lors, il semble que le peintre, inspiré par le symbolisme de la 'stèle fausse-
   porte' des tombeaux égyptiens, a représenté dans la porte du tombeau celle qui
   ouvre sur le paradis". (Abbildung: Stern, Peintures, fig. 5 und 7 auf S.99 u. 100).

6 Die Darstellung des Gleichnisses ist in der frühchristlichen Kunst sehr selten, was
   die Möglichkeit für den ikonographischen Vergleich ohnehin schon beträchtlich ein-
   schränkt. Z.B.im Codex Rossanensis; Abbildung: Volbach-Hirmer, Frühchristliche Kunst,
   München 1958, Nr. 241. Ein Stoff mit diesem Thema befindet sich im Royal Scottish
   Museum zu Edinburg - dort sind auf jeder Seite von einer Hetoimasia zwei Jungfrauen
   abgebildet! -: A. Grabar, La fresque des saintes femmes au tombeau à Doura, in:
   CArch VIII, 1956, fig. 2 auf S. 11.

7 Anknüpfungspunkt für die Deutung des Gebäudes auf Jerusalem ist das Bild, das sich
   rechts an die Isaakopferung anschließt: da steht, wie die Inschriften sagen, der
   Prophet 'Jeremias' vor dem hochgebauten 'Jerusalem' (Stern, Peintures,S.98).
   Schwartz, Études, S.3 zieht aus der äußeren Ähnlichkeit der dargestellten Gebäude
   dann die Folgerung, daß in den 'Jungfrauen' die über Jerusalem klagenden zu sehen
   sind: "Il s'agit simplement des vierges de Jérusalem dont il est question dans
   les Lamentations...I,4; [vgl.Lk 19,41f.; 23,27f.] Les voiles et les cierges mar-
   quent le deuil et s'il y a des cassolettes c'est que probablement l'artiste s'est
   inspiré d'une représentation des Saintes Femmes au tombeau".

andere Deutung denkt an eine Gruppe von Jungfrauen, die zur Zeit des
Athanasius in die Nähe von El-Bagawat verbannt wurden[1]. Ein Bild dieser
Exilierten hier zu sehen, scheint aber doch zu kühn.

Man muß die sieben Parthenoi ganz unmittelbar mit Thekla in Beziehung
bringen und das Rätsel dieses letzten Theklabildes durch Berücksichtigung der kultisch-liturgischen Praxis lösen[2]. Die Sieben gehen von jener Wohnhöhle aus, die wir als den Ort Daphne identifiziert haben. Der
Ort Daphne spielt im Leben der Thekla mehrfach eine Rolle: In der Wohnhöhle des Onesiphorus in Daphne sieht Thekla ihren Lehrer Paulus wieder,
dort macht sie Miene, ihr Haar abzuschneiden[3]. Von Daphne aus zieht die
Heilige zu ihrem Tierkampf nach Antiochia weiter. Nach ihren Erlebnissen
in Antiochia kehrt Thekla noch einmal zu dem 'Haus des Onesiphorus' zurück: In einem Teil der handschriftlichen Überlieferung ist nun dieses
'Haus des Onesiphorus' sozusagen verdoppelt; Thekla besucht daher voller
Nostalgie nicht nur Ikonium[4], sondern auch die Wohnhöhle in Daphne[5], um
zuletzt in jedem Fall nach Seleukia weiterzugehen, wo sie dann stirbt
oder in der Erde verschwindet. Von dem letzten Aufenthalt der Thekla im
'Haus des Onesiphorus' wird erzählt: "sie warf sich auf den Boden, wo
Paulus gesessen und die Worte Gottes gelehrt hatte, und sie weinte und
sprach: 'Mein Gott und Gott dieses Hauses, wo mir das Licht aufleuchtete,
Christus Jesus, Gottes Sohn, mein Helfer im Gefängnis, Helfer vor Statt-
haltern, Helfer im Feuer, Helfer unter den Tieren, du selbst bist Gott
und dir sei Ehre in Ewigkeit, Amen'"[4](sic).   Der Ort Daphne ist also in
Theklas Leben ein Knotenpunkt, eine wiederholt wichtige Station. Die
sieben Parthenoi gehen nun von der Wohnhöhle aus, die wir als Daphne erkannt haben; sie pilgern wohl als Nonnen auf den Spuren Theklas von Daphne aus zu einem anderen Theklaheiligtum, vermutlich eher in das nahe Antiochia als in das entferntere Seleukia[6]. Wir haben dann in dem Gebäude,

1 Thérel, Iconographie, S.225, 265f.

2 Vgl. dazu Stern, Peintures, S.106: "Aussi proposerai-je d'établir un lien entre ce
   cortège et l'image de sainte Thècle. Le cortège serait une procession de religieuses servant dans une des basiliques... ces parthenoi servaient dans la basilique
   de sainte Thècle à Séleucie depuis le IVe siècle".

3 Apokr.II,S.247 (Kap. 24 und 25). Nach dem arabisch-koptischen Synaxar schnitt Paulus der Thekla das Haar ab (A.J.Butler, The Ancient Coptic Churches of Egypt II,
   Oxford 1884, p.385). Die Acta Kap.25 äußern sich unbestimmt.

4 Lipsius-Bonnet, S.268 (Kap.42).

5 Lipsius-Bonnet, S.269 im Apparat zu Kap.43, Z.11 von unten.

6 Zum Problem 'Daphne' s.hier S.15,Anm.4. Für Antiochia sind mindestens zwei Thekla-
   Kirchen belegt, eine an der Stelle, wo sie Alexander den Kranz entreißt (Dagron,
   Thekla-Vita, S.232f) und eine, die sie mit dem Erzmärtyrer Stephanus teilt (Pre-
   digt 97 des Severus von Antiochien).- Die Bezeichnung Protomärtyrerin für Thekla
   wird z.B. von Basilius durchgängig gebraucht. - Zu Antiochia: W.Eltester, Die
   Kirchen Antiochiens, in: ZNW 36,1937, S.251-286; vgl.'Antioche' in DACL I,2,2379;
   Artikel 'Antiochia' in RBK I,178-209 (G.Downey); vgl.hier Kap.12b.

auf das die Prozession der Sieben zugeht, dieses nächste Theklaheiligtum
vor uns. Es hat Stufen, denn Wallfahrer pflegen "hinaufzuziehen". An dem
Ort - in Daphne -, wo ihrer Heiligen 'das Licht aufgeleuchtet war', haben
die Jungfrauen ihre Kerzen entzündet und dort etwa, wie Thekla vorhatte,
auch ihre Haare abschneiden lassen. Sicherlich lasen sie da auch, wie
es Egerias Bericht für Seleukia[1] bezeugt, jene Ereignisse aus den Acta
Theclae vor, die in den Bildern der Malereien dargestellt sind: Martyrium
in den Flammen, Vision der Thekla und Wiedersehen mit Paulus in Daphne.
Zu den Nonnen paßt nun auch die Zahl. Denn die Siebenzahl erklärt sich
zahlensymbolisch; sieben ist die jungfräuliche Zahl und daher für das
Bild der Parthenoi besonders angemessen[2]. Außerdem kann sieben dann für
die große unzählige Menge überhaupt stehen[3]. In dem vierten und letzten
der Thekla-Bilder haben wir also einen Reflex aus der kultisch-liturgischen Praxis vor uns, die sich an dem Ort Daphne nahe bei Antiochia ab-
gespielt hat. Diese Praxis hat sich nicht nur in dem Bild niedergeschla-
gen, sondern auch in Zweigen der handschriftlichen Überlieferung der
Acta.

Die Frage, ob die Thekla-Verehrung in Daphne ein älteres, heidnisches
Brauchtum (mit Grottenkult, Lichtergang und vielleicht Haaropfer) verdrängt hat, kann hier gestellt und zum Teil auch beantwortet werden.
Severus von Antiochien nämlich erwähnt in seiner 95.Predigt "solche, die
heraufzogen nach Daphne in heidnischer Weise" und die "die Wahrheit für
nichts erachtet haben", da sie "zu dunkler Nachtzeit im (olympischen)
Stadion (von Daphne) Lichter von Wachs anzündeten und weihräucherten" zu
Ehren des Zeus Olympios. Dem Prediger mißfällt, daß er auch Christen da-
ran teilnehmen sieht[4]. Der Ausdruck "in heidnischer Weise" erlaubt den
Rückschluß, daß es auch eine christliche Weise gab, auf das Plateau von
"Daphne heraufzuziehen". Dann ist die christliche Lichterprozession zur
Zeit des Severus schon etabliert, aber noch nicht alleinherrschend gewesen.
Was den Höhlenkult betrifft, so ist er wohl ein Konkurrenzunternehmen -
oder die Fortsetzung?- zu jenem Kult in der Matrona-Grotte in Daphne, den
Johannes Chrysostomus in einer Predigt des Jahres 386 erwähnt: "Ich habe
gehört, daß auch viele der Gläubigen dahin ziehen und an dem Ort Inkuba-
tion halten...Mir sind das Heiligtum der Matrona und das des Apollo glei-
chermaßen unheilig"[5].- Über Antike und Christentum in Daphne bei Antiochia
ist in Kap.12b noch mehr zu sagen.

1 Egeria, 23,5: "Ibi ergo cum uenissem in nomine Dei, facta oratione ad martyrium nec
   non etiam et lectus omnis actus sanctae Teclae".
2 F.Dölger, Antike Zahlensymbolik in einer byzantinischen Klosterregel, in seinem
   Sammelband: Paraspora, Ettal 1961, S.393-98.
3 Vgl.Reinig, in: Orientalia Christiana Analecta 205, Rom 1978, S.94 bei Anm.87;
   Wellhausen in: Archiv für Religionswissenschaft 8,1905,S.155f.
4 Patrologia Orientalis 25,1, p.93ff ed.Brière.
5 Adv.Jud.hom.1,6 (PG 48,852) und hom.3,2 in ep. ad Titum (PG 62,679).

Als Quelle für die Bilder von El-Bagawat: Thekla auf dem Scheiterhaufen,
ihre Christus-Vision, das Bittgebet des Paulus (und vielleicht die Ankunft Theklas zusammen mit dem Sohn des Onesiphorus) kommt wohl ein
Illustrationszyklus zu den apokryphen Akten infrage, ob nun zu den heutigen Acta Theclae oder den umfangreicheren, alten einst kanonischen
Acta Pauli oder sonst einer Rezension, ist schwer zu sagen. Die Bilder
folgen jedenfalls dem Gang der Erzählung (Kap.21-24) und berücksichtigen
textgetreu solche Einzelheiten wie z.B., daß Paulus im Hemd betet. Das
zusätzliche Bild der Kerzenprozession wird vielleicht einem persönlichen
Wunsch des Kapelleninhabers verdankt, der etwa einmal selbst an jenem
Fest teilgenommen hat; jedenfalls ist es ein besonderer Beleg der regen,
religiösen Beziehungen zwischen Ägypten und Syrien. Die Theklamalereien
fügen sich en bloc in das rettungsparadigmatische Gesamtprogramm der
Ausmalung dieser Grabkapelle von El-Bagawat ein (vgl.DACL IV,1,Sp.440
oben).[1]

1   Korrekturnachtrag zu S.16/17 (zum Bild des Poimen): Auch durch die Rettungs-
     paradigmatik ist das Bild des 'Hirten' nahegelegt. Vgl. den Sarkophag von Ecija
     in der Provinz Sevilla, etwa aus der 1.Hälfte des 5.Jhs. (B.Brenk, Spätantike
     und frühes Christentum, Propyläen-Kunstgeschichte Suppl.Bd.1, Frankfurt 1977,
     Abb.324, dazu Text und Literaturangaben S.281). In El-Bagawat ist der Hirt über
     dem Bild der Isaak-Opferung dargestellt, auf dem Sarkophag daneben. Auch das
     dritte Bild des Sarkophags: Daniel in der Löwengrube, ist in El-Bagawat gemalt.
     Es stimmen nicht nur manche ikonographischen Details auffällig überein, sondern
     auch die Beischriften 'Abraham', 'Poimen', 'Daniel' entsprechen einander.

Kapitel 4 a

Thekla in Flammen auf zwei Londoner Goldgläsern, einem koptischen Stoff und anderswo

Die beiden Londoner Goldgläser und der koptische Stoff sind Thekla-Denk-
mäler im kleinsten Format.

Das Goldglasmedaillon unserer Abbildung 8 [1] hat nur einen Durchmesser
von etwa 2,5 cm, und das andere (nicht abgebildete)[2] ist sogar bloß
2 cm groß. Das von Forrer in halber Größe publizierte (bei uns nicht
wiedergegebene) Stoffstück[3] hat ein hochrechteckiges Bildfeld von 3 cm
Breite und 6 cm Höhe. Das Thekla-Bild ist auf allen drei Stücken gleich,
so daß wir uns mit einer einzigen Beschreibung begnügen können. Im Bildfeld steht, die Arme weit ausbreitend oder angewinkelt erhoben, eine
nackte Orans, zu deren Seiten jeweils mit Flammen züngelnde Feuer brennen. Man hat die dargestellte Beterin noch in keinem Fall als Thekla
erkannt. In der Beterin unserer Abbildung 8 hat man stattdessen Daniel
gesehen[4] und gesagt, der große Löwe, der in dem nächsten Medaillon schräg
darunter sitze - denn das abgebildete Thekla-Medaillon ist nur eines von
ehemals über zwanzig verschiedenen Medaillons an einer großen, jetzt
fragmentierten Kölner Glasschale aus der zweiten Hälfte des 4.Jahrhun-
derts (Abbildung 9)- dieser Löwe also sei einer von denen, die in der
Löwengrube den betenden Daniel umringten. Wir erklären den Löwen als
eine Anspielung auf Theklas Tierkampf (Acta Kap.33). Natürlich passen
auch die Flammen nicht zu Daniel. Das Geschlecht der Person zwischen den
Feuern ist in dem Katalog der Mainzer Ausstellung 'Gallien in der Spätantike' (Mainz 1980) richtig festgestellt, der hier nämlich"eine betende
christliche Heilige (?)" dargestellt sieht[5]. Das Fragezeichen ist unnötig,
wie wir uns beim Besuch der Ausstellung in Mainz persönlich überzeugen
konnten. Die Einzelheiten der Darstellung: Theklas Nacktheit, ihre Gebetshaltung und auch das Feuer ringsum[6], entsprechen dem Bericht Acta

---

1 O.M.Dalton, Catalogue of Early Christian Antiquities etc. of the British Museum,
   London 1901, Nr.629; fragmentierte große Glasschale von ca.26 cm Durchmesser aus
   dem Gräberfeld bei St.Severin in Köln, die rings mit drei unregelmäßigen Reihen
   kleiner Goldglasmedaillons besetzt war. Unsere Abbildung nach Dalton pl.XXX;
   . vgl. noch F.Fremersdorf, Die römischen Gläser mit Schliff, Bemalung und Goldauf-
   lagen aus Köln. Die Denkmäler des römischen Köln VIII, Köln 1967, S.217f mit Tafel 300-303; G.Ristow, Römischer Götterhimmel und frühes Christentum in Köln,
   Köln 1980, S.81f und S.151-153, Bilder 94 a-d. Die von Fremersdorf stammende Zeichnung 19 bei Ristow S.81 = unsere Abbildung 9.

2 Dalton, a.a.O.,Nr.618, abgebildet auf pl.XXXI; aus der alten Sammlung Matarozzi.

3 R.Forrer, Die frühchristlichen Altertümer aus dem Gräberfelde von Achmim-Panopolis,
   Strasburg 1893,Tafel XVI,10.

4 Dalton, a.a.O.,S.127. Nach S.122 soll auch das Stück Nr.618 ein Daniel sein.

5 Katalog, S.109 Nr.125.

Kapitel 22. Thekla hat ihre Darstellung auf der großen Kölner Goldglasschale, und wohl auch auf den beiden anderen Stücken, nun nicht allein
dem Bericht der Acta Kap.22 zu verdanken, sondern dazu auch noch dem
Umstand, daß sie aufgrund des Acta-Berichtes als ein Rettungs- und Erhörungsparadigma galt. So wird ihr Name in der Commendatio Animae und
den pseudo-cyprianischen Orationen genannt[1]. Die Goldglasschale zeigt
in allen ihren Medaillons Bilder paradigmatischer Errettung: Adam und
Eva (die nicht gleich Todes starben, sondern aus dem Paradies verwie-
sen eine Verheißung der Erlösung bekamen)[2], Isaak (der wunderbar der
Opferung durch Abraham entging)[3], Mose (der den Israeliten, die in
der Wüste am Verdursten waren, mit dem Stabe Wasser aus dem Felsen
schlug)[4], Jona (der, von den Seeleuten ins Wasser geworfen und vom
Meerdrachen verschluckt, wieder ausgespien wurde und unter der Kürbis-
laube Ruhe fand - in vier Bildern)[5], zwei Jünglinge (von dreien, die
in den Flammen des Feuerofens nicht verbrannten)[6], Susanna (die unter
den Bäumen des Gartens betete, vor den tückischen Alten errettet zu
werden, und Erhörung fand)[7] und eben Thekla. Vgl. die erste pseudocyprianische Oration: "Assiste nobis sicut... Theclae in ignibus"[8].
Mit Blick auf den sitzenden Löwen in dem Medaillon neben dem Theklabild
vgl. noch die zweite Oration: "Liberes me de medio saeculi huius sicut
liberasti Teclam de medio amphitheatro"[9]. Die Aufnahme Theklas unter
die Rettungsbeispiele ist natürlich dadurch bedingt, daß man die Acta
(Pauli et) Theclae vielerorts wie eine Bibelschrift las.
Ikonographisch ist das Bild der nackten Beterin zwischen zwei Feuern
(jedoch nicht a u f   dem Scheiterhaufen, wie es der Text Acta Kap.22

6   O.v.Gebhardt, Die lateinischen Übersetzungen der Acta Pauli et Theclae, Leipzig
     1902,S.59: "flamma ingens in circuitu, et in medio non tangebat eam".

1   Vgl.P.Styger, Die altchristliche Grabeskunst, München 1927,S.20-25.

2   Styger, Grabeskunst, S.23 ganz unten.Vgl. noch E.Peterson, Frühkirche, Judentum
     und Gnosis, Freiburg 1959, S.107-128: Die Befreiung Adams aus der ANAΓKH.

3   Commendatio Animae (DACL IV,1, 435 ganz unten).

4   Vgl.DACL IV,1,437f Tabelle; Styger, Grabeskunst, S.23 ganz unten.

5   Vgl.DACL IV,1,436; DACL XII,2,2333 (im 2.cyprianischen Gebet).

6   Commendatio Animae (DACL IV,1,436 oben); 437f Tabelle; in beiden cyprianischen
     Gebeten DACL XII,2,2332f; Styger, Grabeskunst, S.24.

7   Commendatio Animae DACL IV,1,436; im 2.cyprianischen Gebet DACL XII,2,2333; Styger,
     Grabeskunst, S.24.

8   DACL XII,2,2332.

9   Ebd.2333.

verlangen würde[1]), ein knapp formuliertes, konzentriertes 'Emblem'. Es
mag zusammen mit oder in Anlehnung an ähnlich dichte, knappe Darstellungen biblischer Szenen entstanden sein[2]. Die Einzelheit, daß Thekla -
wenigstens auf dem aus Köln stammenden Goldglasmedaillon - nicht geradeaus, sondern zur Seite schaut, läßt aber noch fragen, ob das 'Emblem'
nicht durch die Buchmalerei (Acta-Illustration) beeinflußt oder gar
von ihr her entwickelt sein könnte[3]. Denn dort hat der Seitenblick Theklas einen guten Sinn, da die Heilige zu dem ihr visionär erscheinen-
den Christus hinschaut (Acta Kap.21 Ende)[4]. Wo sich das 'Emblem' zu
einem repräsentativen Bild auswächst, wird es zugleich verändert; Thekla
muß dann bekleidet sein (so im Stuttgarter Passionale und im Menologion
des Kaisers Basileios, wo die felsigen Bergspitzen zu beiden Seiten Theklas formale Reminiszenzen an brennende Feuer sein dürften, und wohl
auch in dem Apsisbild, das Ps-Chrysostomus erwähnt[5]). Über eine Sonder-
form der 'Thekla in Flammen', wo sie nämlich in weder repräsentativer
noch textgemäßer Weise mit einem langen Schurz bekleidet ist und die
Hände von sich streckt, vgl.unten Kap.12 a.[6] Thekla v o r dem Scheiterhaufen, aber noch nicht in den Flammen zeigt das Antependium von Tarragona (dazu Kap.14a).

1   Nur auf dem koptischen Stoffstück Forrers steht Thekla anscheinend über hingebrei-
    teten Hölzern des Scheiterhaufens (Acta Kap.22: ἔστρωσαν δὲ τὰ ξύλα). Sonst
    sieht man den Scheiterhaufen nur noch auf der Malerei von El-Bagawat (Abb.: 7)
    und dem sehr späten Alabasterretabel von Tarragona (vgl.hier Kap.14b).

2   Vgl.Th.Klauser, Studien zur Entstehungsgeschichte der christlichen Kunst IV, in:
    Jahrbuch für Antike und Christentum 4,1961, S.128-145.

3   Freilich steht oft auch der emblematische 'Daniel zwischen den Löwen' so mit seit-
    wärts gewandtem Kopf, vgl. nur die bei Klauser,a.a.O.,S.141 abgebildeten Gemmen.

4   Vgl. die Bilder von El-Bagawat (Abb.: 5,6 , dazu S.16f·), Tarragona (Abb.: 31),
    Stuttgarter Passionale (hier ohne Abbildung; Thekla wendet da den Kopf, aber ein
    Visionschristus ist außerhalb der mehr als kopfhoch schlagenden Flammen doch nicht
    gezeichnet).

5   Vgl. unten S.74 f , Anm.1.

6   S. 69 (das eng Geschriebene).

Kapitel 4

Die Thekla-Menas-Ampulle im Louvre (Abbildung 10 und 11)

Im Département des Antiquités Grecques et Romaines des Louvre befindet sich eine große Pilgerampulle[1], die schon H. Leclercq[2] bekannt war und jüngst in der New Yorker Ausstellung[3] gezeigt wurde. Die eine Seite der Ampulle trägt ein Theklabild, das durch die Beischrift gesichert ist (Abbildung 10). Die Darstellung der Gegenseite muß sich auf den heiligen Menas beziehen (Abbildung 11). Denn beide Seiten der Pilgerflasche zeigen die Umschrift : EVΛOΓIA TOV AΓI(OV) MHN(A) AMH (ν) .

Im runden Bildfeld der einen Seite scheint Thekla, nach dem ersten Eindruck zu urteilen, zu stehen. Links und rechts ihres Oberkörpers verlaufen die Buchstaben der Inschrift: H AΓIA ΘEKΛ (α). Der Unterkörper der Heiligen verdeckt teilweise die Körper zweier Tiere, von denen das linke sicher einen Löwen darstellt, denn sichtbar ist der gewaltige Kopf mit der reichen Mähne. Die Bestie, deren Kopf rechts von der heiligen Thekla herausblickt, wirkt dagegen wie ein Fabeltier und war deshalb auch den Interpreten rätselhaft: "perhaps the lioness or the bear" oder "un tigre ou une panthère"[5]. Hinzukommt, daß der Körper dieses Tieres in ganzer Breite wiedergegeben ist, so daß links von Thekla das Hinterteil sichtbar wird. Man kann demnach fragen, ob Thekla, statt zu stehen, nicht vielmehr seitlich reitend oder sitzend gedacht ist[6]. Vergleicht man dieses Bild mit den anderen, auch in dieser Arbeit vorgestellten Darstellungen[7] der Heiligen zwischen den Tieren, so wird einerseits deutlich, daß sie hier wie dort den langen Schurz trägt, der bis auf den Boden reicht[8].

1 MNC 1926; Höhe 27 cm, Durchmesser 17,5 cm.

2 DACL I,2,1729 ff., fig. 452, eine Zeichnung, die zwangsläufig zu einer Fehldeutung führen mußte.

3 Katalog 'Age of Spirituality' 1979, Nr. 516, S. 576 ff. mit einer guten photographischen Wiedergabe der beiden Seiten.

5 So der Katalog 'Age of Spirituality', S. 577, bzw. Leclercq in DACL I,2,1729.

6 Sobald eine sitzende Figur in Frontalansicht wiedergegeben wird, entsteht das künstlerische Problem, dies auch deutlich sichtbar zu machen. Das gelingt nicht immer; vgl. zur sitzenden, nicht stehenden Thekla z.B. die Maiestas Domini in Hosios David in Thessaloniki oder den Mose im Presbyterium von S. Vitale in Ravenna, der sitzend (!) das neben ihm stehende Lamm liebkost (Abbildungen bei Volbach-Hirmer, Frühchristliche Kunst, München 1958, 134 und 165).
Ikonographisches Vorbild der löwenreitenden Thekla ist die Löwenreiterin Kybele (vgl. die Gemme Abb.12) oder die ebenso dargestellte karthagische Virgo Caelestis (F.J.Dölger, Antike und Christentum 1,1929, Tafel 12,2). Über Thekla als Konkurrentin und Erbin Kybeles vgl.Kap.10.

7 Vgl. Kap. 5 und 6. (Abb. 14 - 16).

8 Eigentlich sind die Verurteilten nur mit einem kurzen Lendenschurz bekleidet oder gar ganz nackt: G. Wilpert, Menasfläschchen mit der Darstellung der hl. Thekla zwischen den wilden Tieren, in: RömQSchr XX, 1906, S. 89. Allgemein: s.v. 'ad bestias' in: DACL I,1,451 ff.; s.v. 'Actes des Martyrs' in DACL I,1,fig. 75 f.; s.v. 'Nudité' in: DACL XII,2,1806 ff.; ferner J.W. Salomonson, Voluptatem spectandi non perdat sed

Auch sind die Arme wie dort auf dem Rücken zusammengebunden. Andererseits wird Thekla sonst oft mit nacktem Oberkörper wiedergegeben, während nur auf dieser Ampulle mehrere Bänder oder Stricke ihren Oberkörper überziehen. Das ist wohl ein deutlicher Hinweis darauf, daß sie auf dem Tier festgebunden worden ist. Die Szene entspricht damit zunächst einem Ereignis, das in den Acta Pauli et Theclae erzählt wird und in den Zusammenhang des Tierumzugs, der Pompa, gehört, die dem eigentlichen Tierkampf vorausgeht[1]. "Als nun der Umzug der Tiere stattfand, band man sie an eine wilde Löwin, und die Königin Tryphäna folgte ihr"[2]. Allerdings verrät uns das Bild nicht die eigentliche Pointe dieses Umzugs: die Löwin greift Thekla nämlich nicht an, sondern leckt ihre Füße und schließt so mit der Verurteilten Freundschaft: "Und die Löwin leckte, während Thekla oben drauf saß, ihr die Füße, und die ganze Volksmenge geriet außer sich"[3]. Auf dem Ampullenbild wendet die Löwin ihren Kopf nach hinten[4] und scheint das Maul (links) aufzureißen, während der Löwe sie von hinten her angreift. Das weist schon auf die folgenden Ereignisse hin, denn nach einem Zwischenspiel im Hause der Tryphäna beginnt am nächsten Tag der eigentliche Kampf 'ad bestias': "Thekla aber wurde den Händen der Tryphäna entrissen und entkleidet und empfing einen Schurz und wurde in die Rennbahn gestoßen. Und Löwen und Bären wurden auf sie losgelassen, und eine wilde Löwin lief auf sie zu und legte sich ihr zu Füßen. Der Haufen der Frauen aber erhob ein großes Geschrei. Und es ging eine Bärin auf sie los; die Löwin aber lief ihr entgegen und zerriß die Bärin. Und wiederum ging ein Löwe auf sie los, der auf Menschen abgerichtet war und Alexander gehörte. Und die Löwin verbiß sich mit dem Löwen und kam mit ihm um. Lauter aber klagten die Frauen, weil auch die Löwin, die ihr beistand, tot war"[5]. Auch von diesem späteren Geschehen kündet also noch das Bild, indem es links den angreifenden Löwen zeigt. Die Löwin, die hinter oder unter der gebundenen Thekla dargestellt ist und deren Vordertatzen und Hinterbein langgestreckt sind, so daß sie so gesehen Thekla "zu Füßen liegt", wendet sich mit ihrem Kopf um, wird sich dann also auf den Löwen stürzen und Thekla verteidigen[6]. Demnach

---

mutet. Observations sur l'Iconographie du martyre en Afrique Romaine, Amsterdam-Oxford-New York 1979, bes.pl. 39-41 und fig. 13 auf p. 82.

1 Vgl.z.B. DACL I,1,457.

2 Apokr.II, S.248 (Kap.28).   3 Apokr.II ebd.

4 Die Wendung des Kopfes wiederholt sich bei der Löwin auf dem Theklamedaillon in Kansas City (hier Kap.5,Abb.14).- Im Stuttgarter Passionale (12.Jh., aus Hirsau) fol.157b ist das Bild mit der Löwin, die, sich herumwendend, der thronenden Thekla schmeichelt, sichtlich aus einer Vorlage entwickelt, die Thekla auf der Löwin reitend zeigte (ed.A.Boeckler, Augsburg 1923, Abb.31). Die lateinischen Acta Theclae, Epitome IV (ed.O.v.Gebhardt p.152,10) geben den Kommentar: "Leaena, sedente supra se virgine: obverso capite lambebat pedes eius".

5 Apokr.II, S.249 (Kap.33), vgl. noch DACL I,1,452, wo diese Stelle ausdrücklich herangezogen wird.

6 Daß Tiere Verurteilte nicht angreifen, ist ein fester Topos: vgl.Salomonson, a.a.O.

spielt die Thekladarstellung auf unserer Ampulle, ohne daß man die einzelnen Phasen des Martyriums ganz scharf voneinander trennen könnte, auf drei Episoden an: den Ritt Theklas auf der Löwin bei der Pompa; darauf, daß die Löwin sich beim Tierkampf zu Theklas Füßen legt, und daß diese Löwin dann gegen den abgerichteten Löwen Alexanders kämpft.

Das der Löwin in den Theklaakten und hier im Bild geltende Interesse versteht sich in dem größeren Kontext der alten Acta Pauli: wie der von Paulus getaufte und daher enkratitische Löwe, der "sein Gesicht nicht mehr der Löwin zuwendet"[1] dem Apostel beim Tierkampf wiederbegegnet[2], wo dann beide durch einen plötzlichen Hagelschlag gerettet werden, so gesellt sich die löwenfeindliche, d.h. enkratitische Löwin zur heiligen Thekla. Daß der Löwe auf dem Ampullenbild sich der Löwin von hinten nähert, ist sicher nicht zufällig, denn nach dem Text liegt in seiner Abwehr ein enkratitisches Moment. Theklas Tierkampf bedeutet einen Kampf um die Tugend der Jungfräulichkeit, einen Kampf gegen das tierische Laster[3]. Der enkratitische Hintergrund ist auch in dem Ampullenbild durchaus noch unverwischt.

Was die andere Ampullenseite betrifft, die ja nicht unmittelbar mit Thekla zu tun hat, so fügen wir dazu folgende Beobachtungen an: Im runden Bildfeld ist diesmal ein Mann[4] wiedergegeben, der in Tunika und Pallium gekleidet ist – über den rechten Arm fällt eine lange Stoffbahn herunter – und der seine beiden Arme wie betend erhebt. Die rechte Hand hält ein Kreuz, das in den umlaufenden Rahmen hineinreicht und zwischen O und Γ den Fortlauf der Inschrift unterbricht. Der Betrachter dieser Ampullenseite empfängt also den auch mittels des Handkreuzes[5]

S.48 ff mit pl.39 ff; W.Deonna, Daniel, le maître des fauves, à propos d'une lampe chrétienne du musée de Genève, in: Artibus Asiae 12,1949, S.366 ff.

1   Apokr. II, S. 269.

2   Apokr. II, S. 257; vgl. R. Kasser, Acta Pauli 1959, in: Revue d'histoire et philosophie religieuses 40, 1960, S. 51 und 55.

3   Vgl. auch die Deutung, die Ambrosius in De virginitate II,3,19-21 dem Martyrium der Thekla gegeben hat: "Da konnte man die Bestie am Boden liegen sehen, wie sie die Füße (der Jungfrau) leckte und mit stummem Laut bezeugte, daß sie den heiligen Leib der Jungfrau nicht verletzen durfte. So wunderbarer Zauber liegt über der Jungfräulichkeit, daß ihr selbst Löwen ihre Bewunderung bezeugen". Vgl. auch Ambrosius ep. 63 ad Vercellensem ecclesiam und C. Schlau, Die Acten des Paulus und der Thecla und die ältere Theclalegende, Leipzig 1877, S. 22 f.

4   Als eine Darstellung des Menas erwogen im Katalog 'Age of Spirituality', S. 577; Leclercq identifiziert die Figur als Paulus: "La tête allongée et barbue a suggéré la pensée que l'on a peut-être voulu représenter saint Paul avec sa néophyte". C.M. Kaufmann, Ikonographie der Menasampullen, Kairo 1910, S. 141 (mit Anm. 3) wollte eine 2. Thekladarstellung: ("in der ich Thekla-Orans erblicke") erkennen. Zu dieser Frage s. den weiteren Text.

5   Da das Kreuz die Inschrift unterbricht, ist es wohl so zu verstehen und nicht als einfaches Ornament. Zum Handkreuz, das bekennenden, segnenden und apotropäischen

ausgestrahlten Segen der dargestellten Person, und weil das Handkreuz
in das Wort EVΛOΓIA hineinragt, hat man den Segen geradezu schriftlich.
Der Segnende ist dann aber niemand anders als Menas selbst, denn die
Umschrift sagt es ja: EVΛOΓIA TOV AΓI(OV) MHN(A). Links neben dem Heiligen befindet sich eine Nische, in der zwischen zurückgezogenen Vor-
hängen eine Lampe hängt und die von einer nach oben offenen Muschel bekrönt wird. Rechts steht ein Gebilde, dessen kuppeliges Dach wie bei
einem Ziborium von einem Kreuz bekrönt wird. Möglicherweise hängen von
diesem Runddach Vorhänge herab, die dann zu einem Knoten geschürzt wären. Oder das runde Gebilde ist ein Deckel, der auf einem gleichfalls
runden Gefäß aufruht, das nach unten spitz zulaufen und eine Art Kessel
sein könnte. Zwischen Ziborium und konischem Gefäß wird man sich zunächst kaum definitiv entscheiden können[1].

Zum Vergleich hat man einen Brotstempel des heiligen Philippus[2] herangezogen: er zeigt rechts von dem Apostel einen Kuppelbau, vor welchem
dann noch eine Freitreppe zu sehen ist. Links von dem Apostel steht,
wieder über einer Treppe, ein Säulenbau mit kreuzbekröntem Pyramiden-
dach; innen hängt eine Lampe. So ist Ähnlichkeit zweifellos vorhanden.
Aber man muß doch versuchen, das Dargestellte auf unserer Menasampulle
anders festzulegen; denn die Heiligtümer des Philippus, wohl in Hiera-
polis, dürften andere als die des Menas gewesen sein. Es ist zu prüfen,
ob Nische und Kuppelbau oder Kessel etwa in den Bauten der Menasstadt
selbst eine Entsprechung finden. In der Tat sind innerhalb der Gruftkirche an der Innenseite der Außenwände Nischen entdeckt worden, von denen
für die eine südliche sogar eine Marmormuschel gesichert ist: "Auch an
der Südmauer der Gruftkirche kehren zwei Bildnischen wieder. Von ihrer
Ausschmückung gibt der beträchtliche Rest einer Marmormuschel eine Vorstellung, den wir in unmittelbarer Nähe ausgruben. Diese Muschel bildete mit nach untem gerichteten Schloß die obere Bekrönung, während die
Nische selbst dünne Marmorinkrustation und profilierten Rahmen aufwies"[3].

Charakter hat, s. O. Nussbaum,Zur Bedeutung des Handkreuzes, in: Mullus, Fs Klauser,
JbAChr Ergänzungsband 1,1964, S. 259 ff., bes. 266 f. - Unter den Themen der Ampullen, die weniger häufig vertreten sind, befindet sich auch eine nimbierte Figur,
die allerdings ein langes Stabkreuz in der Rechten hält: DACL s.v. Ménas, XI,1,
391 fig. 7982 = Kaufmann, Menasampullen, fig. 107: untere Reihe, rechts außen.

1   Leclercq sah zur Rechten der Person "un autel couronné d'une palmette et décoré d'une
    amphore, à sa gauche une sorte de baptistère sphérique, godronné et surmonté d'une
    croix"; vgl. Kaufmann, Menasampullen, S. 141: "Unklarheit der Details".

2   Richmond, Virginia Museum of Fine Arts, 66-29-2; 'Age of Spirituality', Nr. 530,
    S. 590 f.; G. Galavaris, Bread and the Liturgy. The symbolism of early christian and
    byzantine bread stamps, Madison-Milwaukee London 1970, S.149 f. mit fig. 80. - Die
    Parallele eines Athenogenesbaues ist weniger überzeugend: vgl. die Ampullenfragmen-
    te, DACL XI, 1,391, fig. 7982 (=Kaufmann, Menasampullen, fig. 107) und s.v.'Athéno-
    genes'DACL I,2,3104 f. mit fig. 1109, wo das Dach eines Rundbaues nur teilweise er-
    halten ist.

3   C.M. Kaufmann, Die heilige Stadt der Wüste, Kempten-München 1924, S. 89 f.,vgl. auf

In unmittelbarer Nähe fand man ferner an der Westseite der Kirche die
Reste eines Brunnens: "Am westlichen Ende... stießen wir bei der Klär-
rung des Paviments auf Reste einer marmornen Brunnenmündung, deren In-
nenprofil die charakteristischen Rillen aufwies, welche das Auf- und
Abziehen von Seilen im Laufe langer Jahre zu verursachen pflegt. Dicht
dabei öffnete sich denn auch bald ein kreisrunder Schacht, in dessen
Füllung zahlreiche Menaskrüge, Schöpfkannen und Ampullen gefunden wurden, die zum ersten Male von jenem Elemente Kunde gaben, an das eine
besondere Heilkraft im Dienste des Menaskultes gebunden war, von 'des
Menas schönem Wasser, das den Schmerz verscheucht'"[1]. Es scheint uns
nun möglich, daß links auf der Ampulle die südliche, von der Muschel
überwölbte Kultnische festgehalten ist und rechts jener Brunnen mit run-
der Bedachung oder ein Großbehälter des heiligen Wassers. Ergänzt wird
unsere Vorstellung noch dadurch, daß in der Menaskirche im Raum dazwi-
schen, also dort, wo auf der Ampulle der Segnende steht, sich ein Bogen erhob, an dem viele Graffiti der Gläubigen gefunden wurden[2]. Auf
diese Weise erklärt sich wohl die besondere Architektur, mit der dies
Ampullenbild von den sonst vertrauten Darstellungen des "heiligen Menas
zwischen den Kamelen" erheblich abweicht: dort wird ein ganz anderer
Ort, nämlich die Memorialstelle in der Gruft repräsentiert und reflektiert[3], hier sind es drei Heiligtümer im Kirchenraum: Nische, ein Er-
scheinungsort, der Wasserbrunnen (vgl.den Plan Abb. 13). Ungewöhnlich
ist die Tracht des heiligen Menas, der statt im üblichen Soldatenmantel,
der Chlamys, hier in Tunika und Pallium steht. Wahrscheinlich hat der
Heilige die Kleidung seines Liturgen adaptiert, der genau wie er selbst
und in seinem Auftrag die Pilger segnet und das Wasser[4], das aus dem
heiligen Brunnen geschöpft wurde. Vielleicht geht die Darstellung des
Heiligen in dieser Tracht darauf zurück, daß er sich zuzeiten in seiner Basilika an dem erwähnten Bogen so zeigte.

seinem Plan S.112 die Nischen unter Nr.49 und 50 (auch DACL XI,1,347,fig.7947).

1   Ebd.S.93f., im Plan S.112: Nr.48; hier der Plan Abb.13 (wir bilden den neueren
    Plan Deichmanns, AA 1937, S.77/78, Abb.1 ab, in den wir die Zahlen nach Kaufmann,
    a.a.O., bzw.DACL a.a.O. eingetragen haben).

2   Im Plan die Nr.51 und 52; hier der Plan Abb. 13.

3   Vgl. z.B. nur die beiden Elfenbeine im Katalog 'Age of Spirituality' Nr.514 (Lon-
    don, The Trustees of the British Museum 79,12-20,1) und Nr.517 (Mailand, Castello
    Sforzesco, Civiche Raccolte d'Arte applicata ed Incisioni, Avori 1) = Volbach,
    Elfenbeinarbeiten 1976, Nr.181 bzw.242.

4   Zu Eulogien vgl.noch: K.Wessel, in RBK II,1971, 427ff ('Eulogia'); A.Stuiber,
    in RAC VI, 925ff. und J.Engemann, Palästinensische Pilgerampullen im F.J.Dölger-
    Institut in Bonn, in: JbAChr 16,1973,S.5ff.

Man muß sich schließlich noch fragen, warum Thekla hier mit Menas zusammen auf einer seiner Ampullen erscheint. Thekla gehört zu den selte-
nen Themen auf den Menasampullen; das gemeinsame Vorkommen weist darauf
hin, daß beide an einer Stelle, also bei dem Menasheiligtum (?) einen
gemeinsamen oder benachbarten Kult gehabt haben müssen.Darauf deuten
auch einige Nachrichten[1]. Das Bild der 'Thekla mit den Löwen' ist natürlich ein passendes Gegenüber zu dem sonst üblichen Menasbild, wo
Menas zwischen zwei Kamelen steht. Aufgrund des Bildes wird man so weit
gehen dürfen, den Kult der Thekla an der Menasstätte auf antiochenischen
Einfluß zurückzuführen, denn es war in Antiochia, wo Thekla den Löwen
ausgesetzt war[2].
Als die Haupt- und Vorderseite der Ampulle ist nach dem Gesagten wie
auch den Bildumschriften jedenfalls die Menas-Seite anzusehen; das Theklabild ist dann die Rückseite[3]. Abschließend ist festzuhalten, daß auch
diese Thekladarstellung eine klare Abhängigkeit von den apokryphen Acta
gezeigt hat; wieder sind mehrere Szenen der Erzählung zu einem einzigen
Bild kontrahiert. Das Bild ist allerdings so verdichtet, also so auf das
Ampullenrund zugeschnitten, daß man nicht mehr sicher zu sagen weiß, ob
dem Entwurf Buchmalereien, d.h. Acta-Illustrationen, zugrunde liegen oder
nicht. Wir finden den ikonographischen Typus fortentwickelt in dem großen Medaillon, von dem das nächste Kapitel handelt.-
Über ein anderes Theklabild auf Menasampullen ist in Kapitel 6 zu sprechen (Abbildung 15 und 16).

Korrekturzusatz zu S.29 Mitte (bei Anm.2): Den Bogen mit den Graffiti (im Plan Nr.51
und 52) hätten wir, da er aus einer späten Bauphase stammt - vgl. Deichmann, AA 1937,
75 ff -, besser außer Acht lassen sollen. Wir dürfen aber die Frage stellen, ob er in
dem späteren Bau etwa die Funktion der südlichen Nische (Nr.50) des früheren Baues
übernommen hat. Der mit dem Handkreuz Segnende mag dann dann seinen Segen von einem
Ort über der Menasgruft, also etwa vom Altar her, erteilen.

1 Kaufmann, Menasampullen S.96 erwähnt, daß bei Dechêle -"Name verweist auf ein
   Theklaheiligtum!"- das Marmorrelief des Menas im alexandrinischen Museum gefunden wurde.- Ebd.S.132 wird kurz das 3.Wunder des Menas in der alexandrinischen
   Liste erzählt: "die Geschichte eines sterilen Weibes, welches den Tempel (=Me-
   nasheiligtum) aufsuchte, um einen Sohn zu haben. In der Wüste, eine Meile vom
   Theklaheiligtum entfernt, versucht ein Soldat sie zu vergewaltigen, da erscheint
   der Reiterheilige und befreit die Bedrängte". Vgl.noch W.Deonna, Daniel, le
   maître des fauves, à propos d'une lampe chrétienne du musée de Genève, in:
   Artibus Asiae 12,1949, S.133; vgl.'Age of Spirituality' S.575.

2 Zum antiochenischen Theklakult vgl.oben S.19-20 und unten Kap.12b.

3 Ebenso Kaufmann, Menasampullen, S.141 und Wilpert, Menasfläschchen, S.86; oft legen sich die Interpreten nicht fest.

Kapitel 5

Das Thekla-Medaillon in Kansas City (Abbildung 14)

Mit dem soeben besprochenen Ampullenbild des Louvre ist die Darstellung
der Thekla in einem großen steinernen Clipeus verwandt, der in Kansas
City aufbewahrt wird[1]. Obwohl die Heilige nicht durch eine Inschrift bezeichnet ist, kann es sich nur um Thekla handeln. Die nimbierte Figur
ist stehend[2] gedacht, denn sie hat Standbein und Spielbein, die bei den
Fußgelenken aneinander gefesselt sind. Thekla trägt einen Schurz, der bis
zu den Knöcheln herabfällt. Beide Arme sind auf dem Rücken zusammengebunden. Wie ein V-förmiger Ausschnitt laufen dicke Bänder auf ihrer Brust
zusammen, die in Taillenhöhe verknotet sind; dazu liegt um den Hals ein
Seil. Zwei weitere Stricke legen sich als doppelter Gürtel fest um die
Figur, die also wie in einer Zwangsjacke gefesselt ist. Von den Handge-
lenken aus - die Hände sind hinter dem Rücken und nicht sichtbar - führen nach rechts und links wiederum Stricke, mit denen zwei Bestien ange-
leint sind; zumindest beim rechten Tier sieht man ein Kettenhalsband.
Nach links sitzt ein Löwe mit mächtiger Mähne: seinen Kopf wendet er zurück, der Thekla zu, seine rechte Vordertatze ist drohend erhoben. Nach
rechts hin sitzt die Löwin; in genauer symmetrischer Entsprechung zum
Löwen wendet auch sie ihren Kopf zurück, der Heiligen zu, und hebt entsprechend die linke Vordertatze. Der mähnenlose Kopf mit den runden Lö-
wenohren, die Zitzen am Bauch und die wie beim Löwen gebildeten Tatzen
kennzeichnen das weibliche Tier[4].
Durch die strenge Symmetrie der Darstellung ist die in Kap. 28 der Acta
beschriebene Situation stark verändert: Thekla ist nun nicht mehr an
das eine Tier, die Löwin, gefesselt, sondern an Löwe und Löwin zugleich.
Daß Thekla bei der Pompa auf der Löwin gefesselt gesessen hat und daß
die Löwin ihre Füße leckte, geht aus dem Bild nicht mehr hervor. Auch
die andere Begegnung Theklas mit der Löwin, die sich zu ihren Füßen legt
und sie anschließend gegen die anderen wilden Tiere verteidigt, kann man
aus dem Bild nicht mehr ablesen. Die Phasen des Tierkampfes scheinen auf-
gehoben und die einst wilde Aktion ist zum Schaustück erstarrt. Thekla

1 Nelson Gallery-Atkins Museum (Nelson Fund) 48.10; Durchmesser 64,7 cm, Kalkstein,
   aus Ägypten. - Abbildungen: 'Age of Spirituality' Nr. 513, S. 574 f.; Katalog
   'Romans and Barbarians', Museum of Fine Arts Boston, Boston 1976, Nr. 236, S.201ff.;
   H. Buschhausen, Frühchristliches Silberreliquiar aus Isaurien, in: Jahrbuch der
   Österreichischen Byzantinischen Gesellschaft 11/12,1962/63, fig. 6.

2 Vgl. 'Age of Spirituality',S. 574: "In the center stands (!) a haloed St. Thecla".

3 Vgl. G. Wilpert, Menasfläschchen mit der Darstellung der hl. Thekla zwischen den
   wilden Tieren, in: RömQSchr XX, 1906, S. 89. - Acta Kap. 33: "sie bekam einen Schurz".

4 So richtig, 'Age of Spirituality', S. 574: "lion and lioness"; anders Katalog
   'Romans and Barbarians', S. 201.

scheint wie auf einem Wappen hoheitsvoll zu schweben und der zeitlichen
wie räumlichen Sphäre entrückt zu sein. Dieser Eindruck wird noch durch
andere ikonographische Besonderheiten verstärkt: Ein Nimbus umrahmt das
Gesicht der Heiligen, und zwei Engel flankieren sie rechts und links.
Sie sind geflügelt, tragen Haarband[1] und Kreuzanhänger am Hals und öff-
nen weit ihre Arme mit den Handflächen nach außen. Es scheint zunächst
naheliegend, an eine ähnliche Darstellung auf der Menaspyxis in London[2]
zu erinnern: Dort faßt der Henker den in die Knie gesunkenen Menas am
Haarschopf, seine Rechte hebt das Schwert zum tödlichen Streich und von
rechts naht ein geflügelter Engel mit ausgebreiteten Armen. Aber anders
als beim Theklabild sind beim Menasmartyrium die Hände des Engels ver-
hüllt: diese bekannte Geste 'manibus velatis' bringt die Ehrerbietung
zum Ausdruck, mit der der Engel die Seele des Märtyrers bei seinem Tode
in Empfang nimmt und emporträgt. Obwohl Theklas Martyrium nicht im Tode
endet, wird sie Märtyrerin genannt und auch als solche verehrt. Das
Theklabild entspricht aber insofern genau der Überlieferung, als die
Engel zu ihren Seiten keine verhüllten Hände zeigen und dementsprechend
auch vom Bild her offenbar nicht an eine Entgegennahme der Seele der
Märtyrerin gedacht ist. Was aber sollen dann die Engel bedeuten? Der
Gang der Ereignisse, wie sie in den Acta (Kap. 33 und 35) erzählt werden, kann helfen, die Szene zu erklären: Dort werden im besonderen die
Zuschauerinnen im Amphitheater erwähnt, die an Theklas Schicksal tiefen
Anteil nehmen: "Lauter aber klagten die Frauen, weil auch die Löwin, die
ihr beistand, tot war". Und wenig später, nach der Selbsttaufe Theklas
und dem erneut losbrechenden Tierkampf heißt es: "Als aber andere schreck-
liche Tiere losgelassen wurden, klagten die Frauen, und die einen warfen
Grünes, die anderen Narde, andere Zimt und andere Amomum hinab, so daß
eine Menge Spezereien dort waren. Alle losgelassenen Tiere aber waren
wie vom Schlaf befangen und rührten sie nicht an". In der dem Basilius
zugeschriebenen Vita der Heiligen wird dasselbe Geschehen weiter ausgemalt (Kap.21, Dagron, S.250 ff.):

Καὶ γὰρ ὑπὸ συμπαθείασ πολλῆσ τὰ θεώμενα γύναια, ἢ καὶ θεόθεν κινηθέντα,
ἀντιμηχανῶνταί τι τοιοῦτο καὶ, πλῆθοσ ἀρωμάτων καὶ μύρων ἐπεισαγαγοῦσαι
καὶ διὰ πυρὸσ ἐξατμίσασαι, τῷ ποικίλῳ τῆσ ὀδμῆσ κατεκήλησάν τε τὰ θηρία
καὶ ὕπνῳ βαθεῖ κατεκοίμισαν, ὥσ τὴν Θέκλαν εἶναι μὲν μεταξὺ θηρίων πολλῶν
πολλῆσ δὲ τό γε ἐπὶ τούτοισ τῆσ ἀδείασ ἀπολαύειν.

Indem man den mißlungenen Tierkampf und die dadurch geschehene Rettung
der Thekla als ein Wunder - θεόθεν - auffaßt und die Narkotisierung der

---

1   'Age of Spirituality' hat: "each angel wears a fillet in his hair".
2   London, The Trustees of the British Museum 79,12-20,1;'Age of Spirituality'
    Nr. 514, S. 575 f., Volbach, Elfenbeinarbeiten, 1976, Nr. 181.

sonst so wilden Tiere als göttliches Geschehen deutet, kann man auch
das vorliegende Theklabild verstehen: wir vermuten, daß die Frauen,
die von den Stadionrängen herab die Tiere mit Aromata betäubten, hier
zu den Engeln, zu Schutzengeln, fortentwickelt sind; die Verwandlung
ging leicht, weil die mitleidigen Zuschauerinnen nach der Basilius-
vita ja letztlich auf Gottes Befehl so handelten. Das Motiv, daß die
Engel die Hände ausbreiten, läßt noch an das Streuen der Spezereien
denken. Auch daß die Engel relativ klein sind, kann als Indiz für die
Benutzung einer Vorlage verstanden werden, welche die Zuschauerinnen
auf den Rängen im Hintergrund so darstellte. Die Blicke der Engel,
ehedem der Zuschauerinnen, schweifen nach rechts und links, als wollten sie sehen, ob sich im Stadionsrund oder im Amphitheater noch eine
unbetäubte Bestie irgends rege.[1] Nicht die vielen, losgelassenen Tiere,
von denen Kap.34 - 35 der Acta reden, aber Löwe und Löwin sitzen und
erscheinen somit gebändigt oder betäubt unter dem Einfluß der Schutz-
engel. Nach Kap.34 - 35 sollte Thekla keineswegs gefesselt sein, sondern als Orans frei dastehen. An Bestien fesselt man sie erst wieder
in Kap.35 (Ende), aber da sind es Wildstiere. Zweifellos ist auf dem
Medaillon eines der Rettungswunder Theklas dargestellt, aber das Bild
ist nach allem Gesagten ziemlich textfern, hat sich von seinen gleich-
wohl noch zu vermutenden Vorläufern, Illustrationen zu den Kapiteln
28 (?), 33 (?), 35 der Acta, stark fortentwickelt. Eine Vorstufe haben
wir in dem Ampullenbild von Kapitel 4 (Abbildung 10). Das Bild ist weitgehend entdramatisiert und formal - in seiner symmetrischen Anlage -
wie inhaltlich - die Frauen wurden zu Schutzengeln - ikonenhaft. Die
Ikonenhaftigkeit wird noch unterstrichen durch die Rahmung des Ganzen
mittels eines Kranzes aus Lorbeerblättern, an dem zu Haupt und Füßen
der Märtyrerin jeweils ein großer Edelstein sitzt, sowie durch die der
Apotheose entsprechende Form des Clipeus. Da sich im Medaillonrund die
Figuren sehr drängen, kann man noch erwägen, ob dieser Darstellung als
nähere Vorlage eine Apsiskomposition in einer der Thekla-Kirchen zugrundeliegen mag, etwa in einem Heiligtum Theklas in Antiochia, der
Stadt, wo die Heilige ihre Tierkämpfe bestand.[2]
Man muß sich schließlich fragen, welche Funktion dieses in seiner Größe
und Form ungewöhnliche Stück voreinst hatte. Wir kennen weder den Fund-
ort noch unmittelbare Parallelen. Man muß die Darstellung gewiß als eine Art Ikone verstehen. Theklabilder hat es nachweislich gegeben: ein

---

1   Vgl. die Blickrichtungen der Zuschauer, die auf der Südwest-Seite der Basis des
    Theodosius-Obelisken in Konstantinopel das Wagenrennen verfolgen (Abb.: Volbach-
    Hirmer, Frühchristliche Kunst, München 1958, Nr.54).

2   Vgl.S.19f, 30, Anm.2, Kap.12b.

sehr zerstörtes Exemplar, ein Tafelbild, befindet sich unter den Ikonen des Sinai[1] (Abbildung 17).

Durch das über dem Rücken der Löwin gebohrte Loch konnte vielleicht Weihrauch geblasen werden, so daß bei besonderem Anlaß das Theklamedaillon zugleich zu seiner "historisch" passenden Aura, zu"göttlichem Wohlgeruch" und zu seiner ikonischen Beweihräucherung kam. Vielleicht nahmen auch Pilger daran Anteil, indem sie Gegenstände bedampfen ließen, die sie dann als geweihte Andenken mit nach Hause nehmen konnten[2]. Diese Pilger mögen in den Handgesten der Engel eine Einladung zum Herzutreten gesehen haben.

So wenig wie die Frage nach dem Ursprung der bildlichen Komposition endgültig beantwortet werden kann, so wenig läßt sich auch darüber ermitteln, aus welchem architektonischen Verband das Medaillon kommt. Es ist z.B. nicht ausgeschlossen, daß der Clipeus als figürliches Mittelstück irgendwo herausgeschnitten wurde oder auch, daß er mit weiteren Clipei in einer Reihe und damit Zuordnung kombiniert war[3].

---

1   Vgl.hier Kap.7. Ein Theklabild wird auch in einem von Dagron, Thècle, S.416ff., neu edierten Text bezeugt.

2   Vgl. Thekla-Wunder Nr.12 (nach der Zählung von Dagron) bei Basilius sowie ebd. die Stellen, wo von Geschenken der Heiligen an die Gläubigen die Rede ist: Wunder 26,32,33,42.

3   Vgl. das Vorkommen der Bildnis-Clipei z.B. in Ravenna: Märtyrer und Märtyrerinnen in der Erzbischöflichen Kapelle, Apostel in S.Vitale usw.

Kapitel   6

Thekla zwischen Löwin, Bärin und Stieren auf Menasampullen (Abb. 15,16)

Die Märtyrerin Thekla zwischen Löwin, Bärin und Stieren kommt auf mehreren Menasampullen des sogenannten mittleren Typs[1] vor, deren Hauptseite
(mit Umschrift) immer jeweils 'Menas zwischen den Kamelen' zeigt. Die
beiden Heiligen sind einander insofern angenähert, als beide im Schema
'Heiliger zwischen Tieren' wiedergegeben werden. Dieser Parallelismus
von 'Menas zwischen Tieren' und 'Thekla zwischen Tieren' war offenbar
besonders beliebt, wie die Zahl der erhaltenen Belegstücke zeigt. Auf
eine gemeinsame Verehrung von Menas und Thekla wies bereits die in Kapitel 4 besprochene Ampulle hin.

Hier nun sind fünf Ampullen aufzuführen:

(a) das durch eine Miszelle Wilperts[2] bekannt gewordene und gut dokumen-
    tierte Exemplar aus der Menasstadt;

(b) ein Exemplar in Frankfurt (?), das mehrfach, aber nicht überall in
    glücklicher Weise abgebildet wurde[3] (unsere Abbildung: 15);

(c) ein Stück in London[4], an dem noch einer der zwei Henkel erhalten ist
    (unsere Abbildung: 16);

(d) ein Berliner Stück[5], das noch seine gedrungene Tülle und die beiden
    Henkel hat, bei dem aber etwa ein Fünftel des Bildfeldes unten weg-
    gebrochen ist;

(e) ein Fragment im Museum von Alexandria[6].

---

1   Zum Ampullentyp s.C.M.Kaufmann, Ikonographie der Menasampullen, Kairo 1910,S.77:
    Nr.78/78a und S.139-142; zum Thema s.auch: H.Stern, Les peintures du Mausolée de
    l'exode à El-Bagawat, in: CArch 11,1960,S.110,116.

2   G.Wilpert, Menasfläschchen mit der Darstellung der hl.Thekla zwischen den wilden
    Tieren, in: RömQSchr XX,1906,S.86-92; DACL XI,I,386,fig.7979; C.M.Kaufmann, Die
    heilige Stadt in der Wüste, Kempten-München 1924, Abb.62 bei S.103 (diese auf ein
    Aquarell zurückgehende Abbildung ist in Details irreführend).

3   Kaufmann, Menasampullen, S.142, fig.85, DACL XI,1,383,fig.7977; Kaufmann, Menas-
    stadt, Abb.52 bei S.88; A.Grabar, Martyrium II, London 1972, pl.LXIII,7; K. Weitz-
    mann, The Monastery of Saint Catharine at Mount Sinai. The Icons, 1976, Abb.21
    (danach unsere Abb.15). Das Frankfurter Liebieghaus besitzt, wie uns Herr Dr.Bol
    mit allerletzter Post schreibt, vier Ampullen mit Theklabildern.

4   London, British Musum Nr.886; O.M.Dalton, Catalogue of Early Christian antiquities
    etc. of The British Museum, London 1901, Nr.882, pl.XXXII (danach unsere Abb.16),
    S.156: dort nicht erkannt und bezeichnet als"a female figure between two bulls and
    two dogs (?)"; Wilpert, Menasfläschchen, S.90,A.1; Kaufmann, Menasampullen,S.140,A.1.

5   O.Wulff, Altchristliche und mittelalterliche byzantinische Bildwerke I, Berlin 1909,
    Taf.LXIX, Nr.1361 und S.266; dort werden Bärin und Löwin allerdings fälschlich als
    zwei Hunde gedeutet; Kaufmann, Menasampullen, S.141, Anm.2: "auch das Berliner Exem-
    plar stammt aus der Menasstadt".

6   Erwähnt bei Wilpert, Menasfläschchen, S.90; Kaufmann, Menasampullen, S.140.

Die Theklabilder dieser fünf Stücke sind in den Einzelheiten der Darstellung einander wohl prinzipiell gleich. Aber sie stammen aus verschieden feinen Negativformen[1]; der daraus sich ergebende Qualitätsunterschied ist für die Diskussion jedoch unerheblich; weit wichtiger ist der jeweilige Erhaltungszustand. Darin sind alle Bilder dann sehr verschieden; sie werden übrigens bereits aus der Massenfertigung wohl immer schon mit ständig wechselnder Reliefschärfe hervorgegangen sein. Wie viele Details die photographischen Abbildungen, die wir verglichen, jeweils sehen lassen, hängt überdies noch davon ab, mit welchem Licht photographiert wurde; je nach Einfallswinkel und -richtung des Lichtes treten die Einzelheiten des sehr flachen Reliefs mehr oder minder deutlich hervor. Die folgende, eingehende Beschreibung trägt zusammen, was sich an Details bei den vier zuerst genannten Stücken (a-d) beobachten, aber n i c h t auch in j e d e m Fall wiedererkennen läßt[2]; sie wird notgedrungen, weil diese Bilder schwer lesbar sind, langwierig sein, aber im Ergebnis doch lohnen, weil über nahezu alle Einzelheiten der Darstellung Klarheit geschaffen werden kann.

Im Zentrum des runden Bildfeldes (dessen Durchmesser etwa 10,5 cm beträgt) steht die heilige Thekla; Stand- und Spielbein sind deutlich verschieden. Thekla steht nicht streng frontal, vielmehr dreht sie ihre linke Schulter und das Spielbein zum Betrachter hin und schiebt ihre ganze linke Körperhälfte vor. Die Körperhaltung ist reichlich gespannt, wie ein großer Bogen - insoweit wirkt das Standmotiv übersteigert. Diese Übersteigerung erklärt sich dadurch, daß Thekla an einen hinter ihr befindlichen Marterpfahl gefesselt ist. Ihre Haltung ist demnach eine Mischung von Stehen und vor dem Pfahl Hängen. Die Arme Theklas sind hinter ihrem Rücken zusammengebunden. Die Ellenbeuge des vorgeschobenen linken Armes ist deutlich zu erkennen, der Unterarm verschwindet dann hinter der Taille. Von der Rechten Theklas ist, weil die Heilige etwas gedreht erscheint, nur mehr der halbe Oberarm als Fortsetzung der Schulter zu sehen; der Arm verschwindet dann hinter Thekla, denn er ist da mit dem anderen zusammengefesselt.

---

1 C muß aus einer sehr feinen Form stammen, wie man an der Löwin studieren kann (Abbildung: 16); b ist hier weitaus gröber (Abbildung: 15).

2 Bei unserer Beschreibung liegen uns vor:
a nach dem Photo bei Wilpert, Menasfläschchen, S.87;
b nach Grabar, Martyrium II, pl.LXIII, Nr.7;
c nach Dalton, Catalogue, pl.XXXII,Nr.882;
d nach Wulff, Bildwerke I, Taf.69, Nr.1361;
von e hatten wir kein Bild.

Theklas Gesicht wird durch üppiges Haar gerahmt. Eine lange Flechte fällt
entlang der rechten Schulter der Heiligen bis neben das sichtbare Ober -
armstück. Das Haar der anderen Seite fällt wohl hinter Theklas linker
Schulter auf ihren Rücken; somit wird es hinter der vorgeschobenen Schulter unsichtbar[1]. Wahrscheinlich wirkt das Haar rund um den Kopf nur deswegen so besonders üppig, ja dick, weil es mit einem noch darum gelegten,
aber nirgendwo klar, nur bei a ungefähr unterscheidbaren Nimbus verschmolzen ist. Wohin Thekla blickt, ist nicht auszumachen: sie schaut entweder
entschieden nach rechts (d[2]) oder ein wenig nach links. Um Theklas
Hals liegt ein doppeltes (a, b) würgendes Seil, das ihren Kopf an den
Marterpfahl zurückzieht. Das obere Ende des Pfahles wird gerade über
Theklas Scheitel sichtbar (a und b sind hier abgerieben), die dicken
Enden des Querholzes[3] treten links und rechts hinten über ihren Schultern hervor.Der Marterpfahl Theklas hat also die Gestalt eines Kreuzes.
Somit ist ihr Martyrium bildlich der Passion Christi angenähert. In dem
Acta-Text wird dieser Marterpfahl nirgends erwähnt; vielmehr nimmt Thekla selbst, als Orans stehend, Kreuzgestalt an (so auf dem Scheiterhaufen in Ikonium laut Kap.22 nach einigen Handschriften, und beim Tierkampf in Antiochia laut Kap.34).
Die an den Pfahl gefesselte Thekla ist nackt bis auf einen langen Schurz
(den sie nach Kap.33 erhielt). Von Theklas Taille und Leisten hängt lok-
ker ein (? Tuch-)Gürtel; an oder unter demselben ist der vorn senkrecht
in Falten herniederhängende, tuchene Schurz mit einem sehr dick geknäul-
ten, kugeligen Knoten befestigt. Theklas linkes Bein, das Spielbein, ist
etwas vorgeschoben und mit leichtem Knieknick, in voller Länge schräg
neben dem Schurz zu sehen. Der Fuß muß sich dann unmittelbar vor den
Tatzen der hockenden Bärin befinden, ja er reicht, in Aufsicht gesehen,
in beinahe gerader Verländerung des Unterschenkels, mit den Zehen bis
zum Bildrand. Etwa um das Knöchelgelenk legt sich eine (doppelte ?) Fuß-
fessel. Von Theklas rechtem Bein, das dem Betrachter nicht zugekehrt ist,
läßt sich zunächst der schwellende Oberschenkel als Fortsetzung der Hüfte
verfolgen: die Silhouette Theklas verläuft hier unterhalb der Taille bzw.

---

1   Das aufgelöste, in Flechten herabfallende Haar ist für das Erscheinungsbild der
    Verurteilten typisch; vgl. das Bild der Andromeda in der Leidener Aratus-Hand-
    schrift (dazu unten S.38, Anm. 1) und die Märtyrerin bei Salomonson, Voluptatem
    spectandi non perdat, sed mutet. Observations sur l'Iconographie du martyre en
    Afrique Romaine, Amsterdam-Oxford-New York 1979, S.48, pl.39; ferner DACL I,1,
    455, fig.89.

2   Vgl. Acta, Kap.34 nach einer Handschrift: "sie wandte sich zur rechten Seite des
    Amphitheaters und sah eine große Grube voll Wasser und voll Robben; da sprang sie
    hinein, sich selber taufend." Diese Begebenheit wird gerade zwischen dem Raubtier-
    kampf Kap. 33 und dem Stierkampf Kap.35 erzählt.

3   Vgl. Wilpert, Menasfläschchen, S.89.

des Gürtels in einer nach rechts gehenden Kurve, die in Kniehöhe von dem
Schurz überschnitten wird. Von dem Schurz wird die Partie über und unter
dem Knie verdeckt. Dann wird das Bein wieder sichtbar, und zwar nun zwischen dem Schurz und dem Spielbein. Der Hacken ist etwa auf Höhe der
Fußfesseln des vorgeschobenen, anderen Beines, und die Fußsohle steht
dann in einem rechten Winkel von da nach links hin ab. Das hier sehr
feine Exemplar c (Abbildung:16) zeigt endlich die Großzehe in Seiten-
ansicht, und in Verkürzung darüber noch ein, zwei kleine Zehen. Gerade
über dem Mittelfuß endet der Zipfel des herabhängenden Schurzes. Über
dem Hacken ist der Fußknöchel als kleiner, knotiger Punkt hervorgeho-
ben (a, c). Soviel zu der Gestalt Theklas.

In der Figur dürften zwei ikonographische Vorbilder zusammenwirken. Zum
einen erinnert man sich an Darstellungen der Andromeda oder der Hesione,
wie sie, an Felsen oder Pfähle gefesselt, Meerungeheuern ausgeliefert
sind. So läßt sich diese Thekla etwa mit der Andromeda in der Leidener
Aratus-Handschrift vergleichen[1]. Zum anderen ist an Bilder von 'ad bestias' Verurteilten zu denken, die z.B. auf nordafrikanischen Terrakot-
taschüsseln vorkommen und Anschauung aus dem Amphitheater vermitteln.
Man sieht hier die Verurteilten (Märtyrer) auf kleinen Podesten stehen,
mit meist auf dem Rücken gefesselten Händen an Pfähle gebunden, wie sie
dem Angriff der Bestien entgegenblicken[2]. Die Abweichung von dem Acta-
Text, daß Thekla zwischen den Raubtieren nicht frei steht, sondern an
einen Marterpfahl gefesselt ist, wird mit diesen Vorbildern zusammenhängen. Dabei scheint der kreuzförmige Pfahl Theklas allerdings eine
Besonderheit zu sein[3].

Wir wenden uns nun zu den Tieren beiderseits von Thekla. Zu ihrer Linken
hockt unten die Bärin. Sie stemmt sich gegen den Boden und ist wie im
Begriff, gegen Theklas ungeschützten Leib aufzuspringen; sie hebt den

---

1   Leidener Aratus: Univ.Lib.Voss.lat.Q.79 fol.30v. Abbildung bei: K.M.Phillips,
    Perseus and Andromeda (in: AJA 72,1968,S.1-23 mit Taf.1-20) Taf.16, Abb.51;
    farbig bei W.Braunfels, Die Welt der Karolinger und ihre Kunst, München 1968,
    S.194 Taf.XXVa.
    Andromeda ist wie Thekla halbnackt, ihre Fußstellung stimmt mit der Theklas genau
    überein (die Seitenverkehrtheit ist für den Vergleich ohne Belang). Aus dem Fal-
    tenwurf von Andromedas fußlangem 'Rock' wäre Theklas Schurz bequem zu entwickeln.
    Unterschiede liegen in der Art der Fesselung: diese Andromeda steht nicht in ei-
    ner so gebogenen Haltung wie Thekla, sondern aufrecht wie ein großes T, denn ihre
    Arme sind nicht hinter dem Rücken, sondern seitlich an zwei Felspfeiler gefesselt.
    Überhaupt wird die gefesselte Andromeda meist so mit ausgebreiteten Armen darge-
    stellt (vgl.Phillips, a.a.O.). Theklas Fesselung entspricht der Realität des
    Amphitheaters, s.oben.

2   Salomonson, Voluptatem, S.48ff mit pl.39ff; DACL I,1,455, fig.88.

3   Einen langen Schurz oder Rock trägt auch die Märtyrerin bei Salomonson, Volupta-
    tem, S.48, pl.39.

Kopf gegen die Heilige und reißt das Maul auf. Zur Rechten Theklas liegt
oder schleicht geduckt im Bildrund die Löwin, die auf c besonders fein
dargestellt und erhalten ist, so daß man z.B. ihre Rippen unter dem Fell
und die runden Ohren genau erkennt. Die Lefzen der Löwin berühren fast
die Zehenspitzen von Theklas rechtem Fuß. Leckt die Löwin, deren Maul
ein wenig geöffnet ist, so daß eine Zahnreihe sichtbar wird (b, c),
den Fuß Theklas? Bei b wohl nicht, aber bei c soll ein kleiner Punkt,
der gerade die Kuppe von Theklas Großzehe berührt, doch augenscheinlich
die herausgestreckte Zunge der Löwin sein. Die Löwin scheint lauernd und
drohend auf die Bärin zu schauen, der sie im nächsten Augenblick an die
erhobene, schutzlose Kehle fahren wird, um Thekla zu verteidigen.
Dargestellt ist hier, was der Acta-Text Kap.33 berichtet[1]: Thekla"empfing
einen Schurz und wurde in die Rennbahn gestoßen. Und Löwen und Bären wurden auf sie losgelassen, und eine wilde Löwin lief auf sie zu und legte
sich ihr zu Füßen... Und es ging eine Bärin auf sie los; die Löwin aber
lief ihr entgegen und zerriß die Bärin". Wenn die Löwin Theklas Fuß leckt,
wird auch noch auf Kap.28 Bezug genommen[2]: "die Löwin leckte, während
Thekla oben drauf saß, ihr die Füße". Dieses Vorkommnis bei der Pompa
wäre dann in den späteren Tierkampf eingetragen[3]. Eine ähnliche Vermen-
gung von Kap.28 (Pompa) und Kap.33 (Tierkampf am folgenden Tag) ließ sich
schon auf der großen Thekla-Menas-Ampulle des Louvre beobachten[4], während
das große Medaillon in Kansas City eine Zusammenlesung von Kap.28 und
Kap.35 zeigte[5].
Über und hinter den Raubtieren sieht man rechts und links von Thekla noch
je einen Wildstier. Das Hinterteil der Stiere mit den Hinterbeinen ist jeweils von der Figur der Heiligen verdeckt. Der Bug des linken Stieres
geht bis ganz an den Bildrand; bei dem rechten Stier bleibt dagegen noch
ein schmaler Abstand. Beide Male ist der Bug in einer Dreiviertelansicht
von vorn zu sehen. Bei dem rechten Stier zeichnet sich in der Bugmuskula-
tur die Keule seines rechten Vorderbeines mit einem Beinansatz ab. Ferner
sieht man in dem schmalen Abstand zwischen Bug und Bildrand das sehr hoch-
gezogene Knie-oder Fußgelenk des anderen Beines, das winkelig wie zum

1   Apokr.II,S.249.

2   Apokr.II,S.248.

3   Im Stuttgarter Passionale (12.Jh., aus Hirsau) fol.157b sieht man nebeneinander
      die Szenen, wie die Löwin der ursprünglich auf ihr reitenden, hier nun auf einen
      Thron versetzten Heiligen schmeichelt, und wie die Löwin sich dann auf die Bärin
      stürzt und ihr den Kopf abbeißt (A.Boeckler, Das Stuttgarter Passionale, Augs-
      burg 1923,Abb.31).

4   Vgl.Abb.10: Thekla 'sitzt' auf der Löwin nach Kap.28, und die Löwin verteidigt
      Thekla gegen den angreifenden Löwen nach Kap.33.

5   Vgl.Abb.14: Fesselung Theklas an die Löwin (aber nicht auch an den Löwen) nach
      Kap.28, schläfrige Erstarrung der Bestien nach Kap.35. Oder ist Thekla hier an
      die Raubtiere so gefesselt, wie (ebenfalls nach Kap.35) dann an die Wildstiere?

Sprunge erhoben ist; der leicht abknickende Huf befindet sich gerade hinter oder über dem Gesäß der Bärin (a, b, c). Bei dem linken Stier läßt
sich dann, in spiegelbildlicher Entsprechung, allerdings weniger klar,
ebenfalls die Vorderkeule erkennen, gerade über der Schwanzwurzel der
Löwin. Sonst sind hier die Vorderbeine nicht näher präzisiert, weil davor
der Schwanz der Löwin ist. Auf den Flanken beider Stiere sind die Rippenbögen angedeutet. Die Stiere sind gleichsam von einem rückwärtigen Punkt
her beiderseits schräg nach vorn vorgestoßen, so daß ihre erhobenen Köpfe,
die sie zur Mitte, zu Thekla hinwenden, sich nun seitlich gerade neben
oder sogar ein wenig vor dem Standort der gefesselten Heiligen befinden.
Die geschwungenen Hörner, die Ohren, Kinnbacken sowie Nasen- und Maul-
Partien erscheinen in charakteristischer Bildung. Thekla ist mit den
Stieren durch Stricke verbunden (die man auf den Abbildungen teils als
erhabene Linien, teils als Kerben sieht). Nach rechts hin verläuft ein
Strick, der, ansetzend wohl bei Theklas hinter dem Rücken gefesselten
Handgelenk, sich mit leichtem Schwung über die Rippenbögen hinweg bis
zum Bug des rechten Stieres spannt. Dort scheint er an einem Zuggeschirr
oder dergleichen befestigt zu sein, das man in Y-Form vor dem Stierbug
erkennt (a, b, d); die oberen Äste des Y, die um den Hals des Stieres
gehen, dürften zu einem Nackenseil gehören, während der untere Ast ein
Brustseil meint, das zwischen den Vorderbeinen des Stieres durchgeht.
Der Strick, mit dem Thekla an den anderen Stier gebunden ist, scheint
von Theklas doppeltem Halsseil herzukommen, geht dann mit leichtem
Schwung zwischen ihren Brüsten schräg abwärts nach links und endet vor
dem Bug des linken Stieres (a, b), anscheinend wieder bei einem Zuggeschirr in Y-Form (b, c). Unter dem Bauch dieses Stieres, über Rücken
und Kopf der Löwin und neben der Hüften-Schurz-Linie Theklas verbleibt
noch eine etwa dreieckige Fläche (an entsprechender Stelle befindet sich
rechts der hochgereckte Kopf der Bärin). Mitten darin zeigen alle Ampul-
len ein Objekt von der Form $\stackrel{\circ}{-}$. Um was es sich genau handelt, läßt einzig
das besonders feine Londoner Exemplar (c) erkennen: es ist ein kleines
Feuer, eine Flammengarbe, die über einem Scheit oder einer Pfanne brennt.
Somit ist dargestellt, was die Acta in Kap.35 erzählen: als alle Bestien
Thekla nichts anhaben können, "sagte Alexander zum Statthalter: ich habe sehr wilde Stiere, an die wollen wir die Tierkämpferin binden. Ver-
drießlich gestattete es der Statthalter und sagte: Tue, was du willst.
Und man band sie mit den Füßen mitten zwischen die Stiere und legte unter deren Geschlechtsteile glühend gemachte Eisen, damit sie noch mehr
gereizt würden und sie töten sollten. Die nun sprangen zwar; aber die
ringsum lodernde Flamme brannte die Stricke durch, und sie war, als ob

sie nicht gebunden wäre"[1]. Thekla soll also von den Stieren auseinander-
gerissen (nicht auf die Hörner genommen[2]) werden. Das Ampullenbild zeigt,
wie die Stiere beiderseits von Thekla fort- und auseinanderstreben; unter dem linken Stier sieht man das angelegte Feuer - der rechte ist schon
'auf dem Sprunge', wie das erhobene Vorderbein mit Huf ganz außen rechts
zeigt.

Was sich mit den Stieren begibt, ist also, wenn die Betrachtung von Bildhälfte zu Bildhälfte geht, hier ganz ebenso abzulesen wie das, was sich
bei den Raubtieren abspielt, wo die lauernde Löwin der Bärin gleich töd-
lich an die Gurgel springen wird. Es sind sehr sparsame, aber ausgewogen
und ausgedacht eingesetzte Mittel, die den dramatischen Aktionen Ausdruck
geben: das kleine Feuer links, der erhobene Kopf der Bärin rechts, die
lauernde Löwin links und der erhobene Stierfuß und -huf ganz rechts außen.
So ist diese Komposition, die den Raum des Medaillons sehr geschickt aus-
nutzt und zugleich mit der Symmetrie der Bildanlage spielerisch verfährt,
von außergewöhnlicher Qualität[3]. Was das ausgeführte Detail betrifft, so
läßt sich die hohe Qualität leider nur noch an der Löwin des Londoner
Exemplars (c) sehen.

Da die Bildkomposition auf die Medaillonform so trefflich eingeht, kann
man aus ihr über mögliche Vorlagen unmittelbar nichts ablesen. Doch läßt
sich denken, es könnten hier letztlich zwei Dreier-Kompositionen vereinigt sein: nämlich Thekla zwischen zwei Raubtieren (nach Kap.33 der Acta)[4], und Thekla zwischen zwei Stieren (nach Kap.35), die nicht mehr
halbverdeckt sein müßten. Solche Dreierkompositionen könnten etwa in Ap-
siden eines Thekla-Heiligtums zu sehen gewesen sein[5].

Die Beliebtheit dieses Ampullentyps, auf die schon anfangs hingewiesen
wurde, erklärt sich schließlich daraus, daß die Gläubigen, die sich von
dem heiligen Menas-Wasser eine segensreiche Wirkung versprachen, auf den
Ampullenbildern eben sehen konnten, wie die Heiligen als vorbildlich Er-
rettete inmitten der wilden Tiere gesund und unversehrt waren. Gerade

---

1 Apokr.II,S.249; dazu s.Wilpert, Menasfläschchen, S.86ff. und Kaufmann, Menasampullen, S.140f.

2 Eine solche Szene ist z.B. auf dem Fragment einer Terrakottaschüssel abgebildet:
   DACL I,1,454, fig.87 (s.v. 'ad bestias'), wo der Stier dargestellt ist "en jong-
   lant avec ses victimes".

3 Am Menasbild der Gegenseite bemerkt man nichts so Hervorragendes.

4 Vgl. die heraldischen Bilder, die in Kap. 9 (Kamm, Ring) vorgestellt werden.

5 Vgl.Ch.Ihm, Die Programme der christlichen Apsismalerei vom vierten Jahrhundert
   bis zur Mitte des achten Jahrhunderts, Wiesbaden 1960,S.116f mit Verweis auf A.Gra-
   bar, Martyrium II, S.107,Anm.1.

auf Thekla als ein Rettungs- und Erhörungsparadigma nehmen die verbreiteten pseudocyprianischen Gebete mehrfach Bezug[1]. Abgesehen von der An-
zahl der erhaltenen Ampullen mit diesem Theklabild, läßt sich dessen
Beliebtheit auch noch an Reflexen erkennen, die sich in anderen Thekla-
darstellungen zeigen. So könnte dies Ampullenbild die Darstellung Theklas
auf der Sinai-Ikone[2] mitbeeinflußt haben. Bei der Thekla-Miniatur im
Heiligenbuch des Symeon Metaphrastes[3] fällt auf, daß die beiden Raubtiere, die, nicht größer als kleine Hunde, sich wie im Handstand nähern:
so, als müßten sie sich noch immer nach einem Medaillonrand richten.

1   Text im DACL XII,2, 2332-34.

2   Dazu s.Kap.7.

3   12.Jh., London, British Museum, Cod.Add.Ms 11870 fol.174v. Abbildung im Lexikon
    der christlichen Ikonographie VIII,1976, Sp.434; oder bei Buschhausen, Silber-
    reliquiar, Abb.8 zwischen S.152 und 153.

Kapitel 7

Die Ikone auf dem Sinai[1] (Abbildung 17)

Diese Ikone des 6./7.Jh. gehört mit
einem Gegenstück zusammen. Die beiden
Tafeln waren Flügel eines Triptychons,
dessen Mittelstück verloren ist. Jede
Tafel mißt in der Höhe 64,8 cm, in der
Breite 17 cm, und zeigt zwei enkausti-
sche Bilder; diese sind aber sehr
schlecht erhalten, weil die Farbschich-
ten abplatzten. Zur Übersicht geben wir
die nebenstehende Skizze.

Maria	Gabriel
Petrus	Paulus / Thekla

Alle dargestellten Figuren sind durch Beischriften namentlich bezeichnet.
Im oberen Register, wo sich Maria und Gabriel verhalten zueinander wenden, ergibt sich eine Verkündigungsszene. Das untere Register ist aposto-
lisch. Der frontal stehende Petrus tendiert in seiner Haltung ein wenig
nach rechts. Thekla, die frontal in gleicher Größe wie Petrus dargestellt
ist und wie Maria, Gabriel und Petrus einen Nimbus hat, müßte sich dementsprechend ein wenig nach links gewendet haben. Das ist auch deswegen anzunehmen, weil links von ihr in Höhe ihrer Schulter als kleine Halbfigur
noch Paulus erscheint; sein kleines Gesicht (ob es von einem sehr schmalen Nimbus umringt war oder nicht, läßt sich nicht mehr feststellen) befindet sich auf Höhe von Theklas ungleich größerem Gesicht und ist ihr und
dem Himmel zugewandt: diesen Blick kann Thekla zwar nicht geradezu erwidert
haben, um sich nicht von dem Betrachter abzuwenden, aber mit einer leichten
Kopfwendung nach links hin wird die Heilige doch zunächst auf Paulus und
ferner Petrus etwas Rücksicht genommen haben. Thekla trägt eine blaue,
kurzärmelige[2] Tunika und eine rote Schürze; ihre Taille ist umgürtet, wobei ein Zipfel des Gürtels wie die senkrechte Haste eines T herabfällt.[3]

---

1 K.Weitzmann, The Monastery of Saint Catherine at Mount Sinai. The Icons, Princeton
   1976, S.44f., B 19 -20 auf Taf.LXVII; Abb.auch in Deltion 4.Ser.4 (1964/65) Festschrift Sotiriu) Taf.6. Seinen zugehörigen Kommentar ebd.S.14f hat Weitzmann in dem
   Sinai-Werk verbessert. Unsere Abbildung 17 nach Weitzmann, Icons.

2 Über dem Ellenbogen ihrer Rechten sieht man einen Saum.

3 Hängt damit das Attribut des T-Kreuzes zusammen, das Thekla auf mittelalterlichen
   spanischen Darstellungen hat (vgl.Lex.d.chr.Ikon.VIII,434 Mitte)? Doch wird das
   Attribut einfach auch mit den Anfangsbuchstaben des Namens Thekla zu tun haben;
   vgl. die Initiale T mit Theklabildern im Stuttgarter Passionale fol.157b, ed.A.Boeck-
   ler, Augsburg 1923,Abb.31.

Theklas Gestalt wirkt im Vergleich zu Maria, Gabriel, Petrus, die alle
weite Gewänder tragen und so ihre Bildfelder jeweils fast füllen, sehr
schmal; nur das mittlere Drittel der Tafelbreite wird von ihr eingenommen. Einerseits liegen ihr die Kleider, durch die Hüfte und Brustpartie
modelliert werden, eng an; andererseits sieht man längs oder neben der
Schürze nichts von Theklas Armen. Diese sind offenbar hinter dem Rücken
zusammengefesselt; den entsprechend abgewinkelten, bloßen Ellenbogen von
Theklas rechtem Arm meinen wir noch erkennen zu können. Die Beinhaltung
Theklas bleibt unklar: steht sie mit Stand- und Spielbein einfach da,
oder kreuzen sich ihre Beine in Kniehöhe wie zu einem seitlichen Schritt
nach links? In dem freien Raum, der beiderseits von Theklas schmaler Gestalt bleibt, ist rechts ein galoppierender Wildstier zu sehen, der hinter Theklas Hüfte nach rechts hin hervorbricht, man weiß nicht, ob dann
auf Thekla zu, um sie herum oder von ihr weg. Der Kopf dieses Stieres
ist gesenkt; die auf Thekla hingewandten Nüstern sind noch deutlich zu
erkennen, ebenso wie die galoppierenden Vorderbeine und die Muskelpakete
des Tierbuges. An Thekla gemessen, ist der Stier relativ klein, denn er
füllt nur den Raum etwa von ihrer Taille bis herab zu den Knien. So hat
man den Eindruck, daß, während Thekla im Bilde vorn steht, der Stier hinter ihr aus dem Mittelgrund hervorbricht. Der kleine Paulus links oben
scheint dann im Hintergrund zu weilen. Die fernste Ferne wird auf der
Seite oben (eben da, wo an entsprechender Stelle links der Kopf des Paulus ist) durch ein paar bogige Striche, wohl Gebirgshöhen, angedeutet.[1]
Auch durch diese Tiefenerstreckung unterscheidet sich das Theklabild stark
von den Bildern mit Maria, Gabriel, Petrus.
Auf drei Details ist noch hinzuweisen, dann dürfte das, was auf der Tafel
erkannt werden kann, mitgeteilt sein. Weitzmann bemerkt (S.45b): " a ver-
tical streak of red colour across the bull at the right most likely indi-
cates the fire that burned through the ropes fettering Thecla, setting
her free". Die kleine Halbfigur des Paulus lehnt, wie es scheint, über
einer gestuften Mauer, die sich schräg nach hinten hinzieht und möglicherweise in einem Bogen verläuft, wenn man ihre Kanten in zwei dunklen, parallelen Strichen rechts von Thekla weiter verfolgen darf. Paulus läßt
seinen rechten Ellenbogen über die Mauerkanten oder-stufen ragen und erhebt den Unterarm.[2] Die Hand ist dann leider zerstört; zerstört ist auch
Theklas Gesicht und alles, was weiterhin um ihre Gestalt herum dargestellt
gewesen sein mag.

1   Weitzmann,S.45a: "mountainous ground...rises...to a higher horizon line."
2   Weitzmann, S.45a: "Paul. Only his bust in a blue tunic with a red clavus is visib-
    le above a brown ledge which apparently indicates mountainous ground and rises
    on the other side of Thecla to a higher horizon line."

Weitzmann vergleicht als engste ikonographische Parallele ein Ampullenbild;[1] danach können wir als Pendant zu dem Stier, der rechts von Thekla springt, links wohl einen spiegelbildlich entsprechenden ergänzen,
und in den abgeriebenen leeren Flächen, die noch beiderseits von Theklas
Knien an abwärts und unter ihren Füßen verbleiben, lassen sich etwa wilde Raubtiere denken.

Es ist also Theklas Tierkampf in Antiochia dargestellt, und zwar, soweit
noch zu erkennen, der in Kap.35 der Acta geschilderte Moment: "Man band
sie mit den Füßen mitten zwischen die Stiere und legte unter deren Geschlechtsteile glühend gemachte Eisen, damit sie noch mehr gereizt würden und sie töten sollten. Die nun sprangen zwar; aber die ringsum lodernde Flamme brannte die Stricke durch, und sie war, als ob sie nicht
gebunden wäre."[2] Theklas Schürze ist wohl eine bessere Form des Schurzes,[3] den sie nach Kap.33 erhielt. Der gestufte Mauerbogen im Hintergrund muß das Stadionrund, näherhin entweder eine Ansicht der Sitzrei-
hen oder der Arenamauer, sein.

Eine textferne Einzelheit ist, daß Thekla noch abgesehen von der Schürze
bekleidet ist. Aber das Ikonenbild forderte Dezenz. Immerhin soll vielleicht das enge Anliegen der Tunika und Schürze Theklas Schönheit unter-
streichen; es kann aber auch damit zusammenhängen, daß Theklas Kleider
naß sind, denn gerade vor dem dargestellten Tierkampf hat sie sich in
einem Akt der Selbsttaufe in das Robbenbecken gestürzt (Kap.34).

Die kleine Gestalt des Paulus hat gar keinen Anhalt im Text, denn der
Apostel war bei dem Tierkampf in Antiochia nicht zugegen. Seine Gestalt
gibt mithin Anlaß zu Überlegungen. Der Gedanke, daß eine Bilderkonflation
vorliege, daß hier nämlich in die antiochenische Stierkampfszene jener
'Paulus' eingetragen sei, den Thekla (laut Kap.21 der Acta) in der Arena
von Ikonium hatte "unter dem Volk sitzen sehen" und der dann vor ihren
Augen als eine Christuserscheinung entschwand,[4] hat nicht viel für sich.
Denn der Paulus auf dem Ikonenbild soll doch nach der Beischrift sicher
ein echter Paulus und ferner auch Kollege des Petrus auf der anderen
Tafel sein. So dürfte der kleine Paulus vielmehr ikonographisch aus einer Assistenzfigur hervorgegangen sein, die nach dem Zusammenhang des
Actatextes Kap.35 dem antiochenischen Kampfe zusah. In Frage kommen mehrere Gestalten. Bei der Besprechung des großen Medaillons in Kansas City[5] haben wir die Engel ikonographisch von jenen Spezerei streuenden

1 Hier Kap. 6 und Abb. 15, 16.
2 Apokr. II, S. 249.
3 Hier Kap. 6 ; vgl.S. 38f
4 Hier Kap. 3 ; vgl.S.16.
5 Hier Kap. 5; vgl.S.33.

Frauen, die eben in Kap.35 vorkommen, herleiten wollen. Solche in Halbfigur dargestellten Frauen auf den Rängen wären für den kleinen Paulus
(der auf der Ikone rechts von Thekla aber wohl kein Gegenüber mehr hat)
die ersten möglichen Vorgänger. Kap.36 sagt, daß die Königin Tryphaena,
eine Gönnerin, deren Herz Thekla gewonnen hatte, bei dem Anblick von
Theklas Stierkampf in tiefe Ohnmacht fiel, woraufhin man das Schauspiel
abbrach; es kann also auch im besonderen Tryphaena gewesen sein, die in
den kleinen Paulus umgewandelt wurde. Oder Paulus geht zurück auf die
Gestalt des bösen Alexander, der die Spiele veranstaltete und bezahlte,
oder auf die Figur des Statthalters (Hegemon, Proconsul), der den Vor-
sitz führte. Alexander und der Statthalter erscheinen in Kap.35 im Gespräch. Weder Robben noch Raubtiere haben Thekla bislang etwas anhaben
können: " so daß Alexander zu dem Statthalter sprach: Ich habe noch gar
furchtbare Stiere, an die wollen wir die Tierkämpferin anbinden. Und
verdrossen erlaubte es der Statthalter ihm mit den Worten: Tu was du
willst. Da band man sie mit den Füßen mitten zwischen die Stiere...".
Daß Paulus auf der Ikone seinen Unterarm erhebt, ist dann vielleicht ursprünglich die Geste des Statthalters gewesen, mit der er erlaubte oder
Anweisung gab, Thekla an die Stiere zu binden. Ein ähnlicher Gestus, der
die Spiele beginnen heißt, läßt sich ja auf vielen Konsulardiptychen beobachten. Bei Martyriumsbildern werden oft die Befehlshaber, die das
Martyrium anordnen und ihm zuschauen, mitdargestellt. So ist der kleine
Paulus des Ikonenbildes am wahrscheinlichsten vormals der antiochenische
Statthalter gewesen; die Vorlage mag auf den Rängen ihm gegenüber als
Pendantfigur etwa noch den unholden Alexander gezeigt haben. (Dieser
Platz blieb auf der Ikone, wie gesagt, allem Anschein nach frei; jetzt
ist da ohnehin fast alles zerstört). Aus den Einzelheiten wie auch der
beschriebenen Tiefendimension des Bildes darf man wohl zuletzt folgern,
daß die Vorgeschichte auch dieser Darstellung durch eine Miniatur, eine
Illustration zu Kap.35 der Acta, bestimmt ist. Wieweit auf die Bildkom-
komposition ferner der Einfluß jenes repräsentativen Entwurfes wirkte,
den das Ampullenbild reflektiert, läßt sich wegen der schlechten Erhal-
tung der Ikone nicht ausloten.
Die Veranlassung, den antiochenischen Statthalter (oder wer es sonst war)
in Paulus umzubenennen, hat sich ergeben, als das Theklabild in die Hei-
ligenreihe von Maria, Gabriel, Petrus eingeordnet wurde. Neben Petrus
sollte rechtens Paulus erscheinen; er wurde wenigstens in der bescheidenen Halbfigur mitgemalt oder "übernommen". Das Hauptinteresse aber
gilt offenbar Thekla, die den Apostel regelrecht an den Rand gedrängt
hat. Neben Petrus und dem - ungebührlich kleinen - Paulus erscheint
Thekla in apostolischem Rang, wie er ihr von manchen Zeugnissen

zugesprochen wird.[1] Bei Betrachtung der Bildtafeln wird das asketische
Interesse, dem Thekla ihre Darstellung wohl wesentlich verdankt, auch
einen Vergleich ihrer Person mit der Mariens nicht unterlassen haben.[2]
Die psalmenkundigen Beter mußten vor dem Bild zudem an Ps 21,13 (LXX)
denken: Hilf mir, "denn mich umzingelten viele Wildochsen, fette Stiere
umringten mich." Waren noch mehr Bestien zu Theklas Füßen dargestellt,
so ließ sich mit dem folgenden Vers 14 weiterbeten: "sie haben gegen
mich ihr Maul aufgerissen, wie ein reißender und brüllender Löwe." Wer
ein besonderer Thekla-Verehrer und Kenner ihrer Acta war, der konnte
vor der Ikone, angesichts der im Verein mit Maria, Gabriel, Petrus und
Paulus dargestellten Heiligen, namentlich über die drei Makarismen aus
Kap.5 ihrer Acta meditieren: "Selig sind die Herzensreinen, denn sie
werden Gott schauen. Selig sind, die das Fleisch reinheilig bewahren,
denn sie werden Tempel Gottes werden. Selig sind die Enthaltsamen, denn
zu ihnen wird Gott reden." [3]

---

1 Vgl. hier S.11.

2 Vgl. Epiphanius, Haer. 78,16,7; 79,5,2 (GCS Bd.37, p.467 und 480 Holl); weitere
   Belege im Dictionary of Christian Biography IV, 887a unten.- Vgl. noch das Neben-
   einander von Mariendarstellung und Thekla-Paulus-Bild in der Friedenskapelle von
   El-Bagawat. (Unser Kapitel 2, Abb.3).

3 Mit der ersten dieser drei Seligpreisungen (Matth.5,8) schließt die ps-chrysostomische Lobrede auf Thekla (Migne PG 50, 745-48; Schluß in Analecta Bollandiana 93,1975, S.351f.).

Kapitel 8

<u>Die Grabstele in Kairo</u> (Abbildung 18)

Unter den Grabstelen, die den Namen 'Thekla' tragen, befindet sich eine,
die durch die Art der Darstellung vermutlich auf das Martyrium der Heiligen im Amphitheater von Antiochia anspielen will. Es handelt sich um
eine recht kleine Stele in Kairo,[1] die an der linken und rechten Seiten-
kante sowie offenbar auch oben beschädigt ist. In grober Ritzung ist eine bis auf den Schurz nackte weibliche Figur wiedergegeben, die beide
Arme betend erhebt: über ihren Händen schweben Kreuze.[2] Unmittelbar vor
ihren Füßen ist ein Parallelogramm eingeritzt. Eine rohe Inschrift beginnt links und setzt sich rechts von der Orans und unter ihr fort.
K̅E̅ ΑΝΑΠΑΥCΟΝ ΤΗΝ ΨΥΧΗΝ ΤΗC ΔΟΥΛΗC(C)ΟΥ ΘΕΚΛΑ + ΠΑΩΦΙ ΝΕΩΜΙΝΙΑ.
Die Stele hat außer im Katalog von Crum noch eine kurze Würdigung durch
Leclercq erfahren, der annimmt, daß die Tote mit dem Namen Thekla sich
ein Geschehnis aus dem Leben ihrer Namenspatronin, der heiligen Thekla,
auf ihrem Grabmal hat anbringen lassen: "Si grossière que soit la sculpture, elle nous montre Thècle debout, les bras levés dans l'acte de la
prière, entièrement nue, sauf une ceinture de toile, ainsi qu'elle était
exposée aux bêtes féroces dans l'Amphithéatre."[3] Demzufolge müßte man
das Parallelogramm dann als das Podest verstehen, auf dem die 'ad bestias' Verurteilten[4] etwas erhöht standen, so daß die Tiere die wehrlosen
Menschen noch besser angreifen konnten. Die Bekleidung mit dem Schurz
sowie die Gebetshaltung lassen in der Tat an Theklas Tierkampf denken.
Was hingegen das Parallelogramm angeht, so vermuten wir, daß es vielmehr
eine Skizze von jenem Wasserbassin sein soll, in welches sich Thekla
stürzt, nachdem sie den Kampf mit Löwen und Bären wunderbar überstanden
hat. Nach Kap.34 der Acta schwimmen in diesem Bassin Robben, nach Meinung der Zeit außerordentlich gefährliche Tiere, die aber durch einen
göttlichen Blitzschlag schnell kampfunfähig werden.[5] Das Entscheidende
ist, daß Thekla gerade diese Situation innerhalb des Tierkampfes nutzt,
um sich selbst zu taufen: "Als sie aber ihr Gebet beendet hatte, wandte
sie sich um und sah eine große Grube voll Wasser und sprach: Jetzt ist
der Zeitpunkt gekommen, mich zu waschen! Und sie stürzte sich selbst

1 W.E.Crum,Coptic Monuments.Catalogue général des Antiquités égyptiennes, Le Caire
   1902,Pl.LII,Nr. 8693,S.142; h=22 cm, b=20 cm.

2 Zu diesem Detail vgl. das Bild "unseres Vaters Apa Apollo" in Saqqara, wo sich
   über Schultern und Haupt des Betenden kleine Kreuze befinden. (Abb.bei Grabar,
   Martyrium II, Taf.59,1); vgl. ferner Grabstele in Kairo, Kopt.Museum (Abb. bei
   Zaloscer, Christliche Kunst in Ägypten Abb.61 = Wessel, Koptische Kunst Abb.80)
   und unsere Abbildungen 2, 20 und 21.

3 DACL XII,2 (s.v.'Orant', 'Orante'), 2313 und fig.9098 auf 2318.
4 DACL I,1,428f.   5 Apokr.II,S.248; Vita Theclae, Dagron,S.248.
                                        Vgl. unten S. 67 mit Anm.5.

hinein mit den Worten: 'Im Namen Jesu Christi taufe ich mich am letzten
Tage!'... Sie also stürzte sich ins Wasser im Namen Jesu Christi; die
Robben aber sahen den Glanz eines Blitzes und schwammen tot an der Oberfläche." Vom Gebet der Thekla wird also gerade in dieser Phase des Martyriums noch einmal ausdrücklich berichtet. Die kleinen Kreuze, die auf
der Stele über den erhobenen Händen der Orans eingemeißelt sind, passen
vortrefflich zu dem Taufgeschehen, da die Taufe das rettende und schützende 'Siegel' gibt (vgl.Acta, Kap.25). Der Blitzschlag nun rettet Thekla
nicht nur vor der Gier der Robben, sondern läßt auch eine Feuerglorie
entstehen, welche die Nacktheit der Heiligen vor den Blicken der Welt
deckt.[1] Ob auf unserer bescheidenen Stele rechts und links der Figur
noch absichtlich etwas dargestellt werden sollte (etwa sitzende Bestien?),
vermag man angesichts der verschwommenen Kritzelei nicht zu entscheiden.
Wenn das Parallelogramm vor Theklas Füßen also eine Wiedergabe des Robben-
bassins ist, dann will die auf der Stele inschriftlich genannte Thekla,
als die Steleninhaberin, mit dem Bild wohl an ihre eigene Taufe erinnern,
die vielleicht unter besonderen Umständen geschah, etwa wie bei ihrer
Namenspatronin in einer Situation, in der das Ende nahe schien. Aber
auch wenn man einen so dramatischen Hintergrund nicht annimmt, gibt der
Hinweis der Verstorbenen auf die rettende Taufe und das Beispiel ihrer
heiligen Patronin jedenfalls einen guten Sinn. Vielleicht steckt auch
in der Wendung ΔΟΥΛΗϹΟΥ noch eine Anspielung auf das Vorbild der heiligen Thekla, die nämlich auf die Frage des Statthalters, warum alle Tiere
sie verschonten, antwortet: "Ich bin eine Dienerin des lebendigen Gottes"[2]; freilich ist die Bezeichnung "Dienerin" formelhaft[3]. Daß die verstorbene Thekla zu der Heiligen in eine annähernd identifizierende Beziehung gesetzt ist, erscheint als nicht außergewöhnlich. So schreibt
z.B. Hieronymus in seiner Chronik zum Jahr 377 über die nach Jerusalem
verzogene Römerin Melania, sie habe sich durch ihr heiligmäßiges Leben
den Namen Thekla erworben.[4]

---

1   Das wird in der Vita noch in Parallele zur Errettung vom Feuer näher ausgemalt:
    "τὴν δὲ Θέκλαν γυμνὴν οὖσαν καὶ περιέστελλε, καὶ θαλάμου χρείαν αὐτῇ παρείχετο".
    (Dragon, S.250); vgl. das Martyrium des Polykarp 15,2; zum theologischen Problem
    der Selbsttaufe Theklas s.R.Kasser,Acta Pauli 1959, in: Revue d'histoire et phi-
    losophie religieuses 40,1960,S.49,Anm.43.

2   Apokr.II,S.250 (Kap.37).

3   Sie kommt z.B. auf drei Fayum-Stelen vor: Crum, Nr.8411,8684,8698.

4   Migne, PL 27,697 f.: "ut Theclae nomen acceperit".

Die Ritzzeichnung auf der Theklastele repräsentiert die einzige uns be-
kannte Darstellung der heiligen Thekla v o r dem Robbenteich. I m
Teich sieht man Thekla auf den beiden späten Denkmälern von Tarragona
(Kap.14) und für das eine Brooklyn-Relief läßt sich eine entsprechende
Vorlage annehmen[1]. Ist die Thekla v o r d em Robbenteich ein Reflex
der Buchmalerei?[2]

1   Vgl.S. 67 - 69 .

2   Es ist daran zu erinnern, daß wir desgleichen Bilder Theklas v o r dem Scheiter-
     haufen (Abb.31) und i n den Flammen haben (Kapitel 4a).

Kapitel 9

Der Berliner Kamm und der Fingerring in Athen

Als Darstellungen der heiligen Thekla müssen auch solche Bilder berücksichtigt werden, bei denen eine Orans zwischen zwei Löwen steht. Wir
greifen zwei Beispiele zur Besprechung heraus[1]: einen heute verscholle-
nen Holzkamm aus Achmim-Panopolis[2] in Hochformat und einen goldenen Fingerring im Benaki-Museum in Athen[3]. (Über das Silberreliquiar in Adana
sprechen wir im nächsten Kapitel). Auf dem Holzkamm bildet die Orans
zwischen den Löwen die rückwärtige Darstellung zu einem Daniel, der
ebenfalls, wie für ihn ja typisch, in Orantenhaltung zwischen Löwen
steht. Die Gegenseite der drehbaren Ringplatte zeigt eine Engeldarstel-
lung.

a) der Kamm (Abbildung 19)

Der hochformatige Holzkamm besitzt an zwei gegenüberliegenden Seiten
verschieden feine Zinken; das Bildfeld in der Mitte ist annähernd qua-
dratisch und von einem schmalen erhabenen Steg mit eingeritztem Kreis-
Punktmuster gerahmt. In dem so vertieften Feld steht die weibliche Figur vor einer Arkade zwischen schrägkannelierten und kapitelltragenden
Säulen. Sie trägt eine lange Tunika mit Gürtel, ein Tuch vor der Brust
und über dem Kopf (Maphorion), die Arme sind betend erhoben, wobei sie

---

1   Ein Öllämpchen mit dem gleichen Bildtyp veröffentlichte C.M.Kaufmann in: Oriens
    Christianus 2.Ser.Bd.3,1913,S.108 mit fig.3.- Vgl.ferner die Miniatur einer Hand-
    schrift des Symeon Metaphrastes im British Museum: Add.Ms.11870, fol.174[v] (Abb.:
    Lexikon der christlichen Ikonographie VIII,1976,434, Nr.2).

2   Der Kamm, der sich einst in der Frühchristlich-byzantinischen Sammlung, Inv. 3263
    befand (h = 23 cm), ist abgebildet oder erwähnt: O. Wulff, Altchristliche und mit-
    telalterliche byzantinische Bildwerke I, Berlin 1909, S. 94, Nr. 288, Taf. IX und
    X; R. Forrer, Die frühchristlichen Altertümer aus dem Gräberfeld von Achmim-Pano-
    polis, Strasburg 1903, pl. XII, S. 7,16; in DACL s.v. 'peigne' XIII,2,2939, fig.
    10041; A. Effenberger, Koptische Kunst, Leipzig 1974, S. 100 und Taf. 85; J.W. Salo-
    monson, Voluptatem spectandi non perdat, sed mutet. Observations sur l'Iconographie
    du martyre en Afrique Romaine, Amsterdam-Oxford-New York 1979, S. 75 f. u. pl.
    59 a u. b, S. 77, pl. 59 (mit der Gegenseite des bekleideten Daniel); C.M. Kauf-
    mann, Ikonographie der Menasampullen, Kairo 1910, S. 120, Anm. 1.

3   Der Ring, Athen, Benaki-Museum Nr. 2107, wurde vorgestellt auf der New Yorker Aus-
    stellung und ist abgebildet im Katalog 'Age of Spirituality', Nr. 305, S. 326 f.:
    "Constantinople (?), 638-39, gold with traces of niello; max.diam. 2,5 cm; w. bezel
    1,3 cm."

4   Zu den Typen von Kämmen (die neu geordnet werden müßten, nämlich in Hoch- und Breit-
    formate und Webkämme mit Stiel) s. G. Michaïlidès, Collection de peignes et autres
    objets de toilette coptes, in: Coptic Studies in Honor of W.E. Crum 2, Bulletin of
    the Byzantine Institute 1950, S. 485 - 494; DACL s.v. 'peigne' in XIII, 2,2932 bis
    2959; H. Ranke, Koptische Friedhöfe bei Karara, Berlin-Leipzig 1926, Taf. 16; W.F.
    Volbach, Elfenbeinarbeiten der Spätantike und des frühen Mittelalters, 1976[3], Mainz,
    S. 121 f. Auf hochformatigen Kämmen sind Daniel und Thekla (?) bis jetzt einzig be-
    kannte Beispiele einer biblischen bzw. apokryphen Darstellung; bei den breitforma-
    tigen sind Themen aus der Heilsgeschichte etwas häufiger (Lazarus usw.). Kämme sind
    in erster Linie Gebrauchsgegenstände, ihre besondere liturgische Verwendung ist vor
    dem frühen Mittelalter wohl kaum nachzuweisen.

fast wie beim ägyptischen Ka-Zeichen rechtwinkelig nach oben abknicken.
Die beiden Bestien kauern in etwas unterschiedlichem Sitzmotiv (Vordertatzen!) und drehen ihren Kopf zurück zu der Beterin; die Köpfe sind
leicht erhoben und die Mäuler drohend aufgerissen. Das linke Tier zeigt
eine spitzere Schnauze als das rechte. Vielleicht flankieren also nicht
zwei Löwen, sondern ein Löwe und ein Wolf die Orans. Auch beim Danielbild des Kammes sind die Bestien so verschieden.

Obwohl die Beterin nicht näher gekennzeichnet ist, kann man die Deutung
auf Thekla vertreten. In Theklas Legende spielen Löwen bei der Pompa und
beim Tierkampf eine Rolle.[1] Die Darstellung der Bestien kann durch das
Danielmotiv beeinflußt sein, besonders dann, wenn die Kompositionen[2] einander so nahestehen wie auf unserem Holzkamm. Daniel und Thekla entsprechen sich auch inhaltlich, weil sie als Prototypen der Märtyrer verstanden werden können;[3] als Rettungsparadigmen sind ohnehin beide ge-
läufig.[4]

Andererseits kann man bei der Orans aber auch an Susanna[5] denken: Denn
Susanna steht zu Daniel in unmittelbarem biblischen Bezug, und sie kann
von Wölfen flankiert[6] auftreten. Der eine Löwe neben Susanna wäre dann
vom Danielbild hergekommen, und Daniel hätte dafür von Susanna einen
Wolf geerbt, und so hätten sich die verwandten Bildkompositionen ausge-
glichen. Wie Daniel ist auch Susanna bekanntes und beliebtes Rettungsparadigma. Sollte unter den Bestien hier und da jeweils ein Wolf sein,
dann wäre damit gewiß ein Bezug zu Susanna vorhanden.

Man wird zuletzt sagen dürfen, daß alle drei Motive (die Löwen Daniels
und Theklas und die Wölfe Susannas) hier mehr oder weniger miteinander
verschlungen sind.[7] Entscheidend war offenbar, daß ein Beter und eine
Beterin im Schema des Rettungsparadigmas dargestellt wurden; an genauer
Charakterisierung der Personen Daniel, Thekla oder Susanna bestand

1   Apokr.II,S.248 (Kap.28) und S.249 (Kap.33).

2   Vgl. dazu W.Deonna, Daniel, le maître des fauves à propos d'une lampe chrétienne
     du musée de Genève, in: Artibus Asiae 12,1949, S.131 ff. und pl.2,1.

3   Salomonson, Voluptatem, S.75f.,82,88f.

4   Vgl. nur die pseudo-cyprianischen Gebete und die Commendatio animae; P.Styger,
     Die altchristliche Grabeskunst, München 1927, S.22; vgl.hier S.23 bei Anm.8 und 9.

5   So z.B.Forrer, Frühchristliche Altertümer, S.7, 16.

6   Über Susannas (und Theklas) Wölfe vgl. hier Kap.12 (S.66, Anm.3) .

7   Der Physiologus c.40 nennt neben Mose noch Daniel, Susanna und Thekla in einem
     Atemzuge als Oranten, die Rettung erfuhren (ed.D.Offermanns in: Beiträge zur
     klassischen Philologie 22, Meisenheim 1966, S.132 Z.15-18).

wenig Interesse[1]. Der Verdacht, die Rettungsbilder auf dem Kamm könnten weitgehend trivialisiert sein, liegt nahe: Der Beter 'für den Herrn',
die Beterin 'für die Dame'[2], und die Rettungsparadigmen als beschwören-
der Schutz vor den Unannehmlichkeiten beim Kämmen von Langhaar, weil es
schmerzhaft "reißt", wenn die "Zähne" des Kammes an "Wölfe" (volkstüm-
lich für: Versträhnungen) kommen.

b) der Fingerring (ohne Abbildung)
Wir versuchen zu erklären, warum die drehbare Ringplatte auf der Gegenseite zu dem Theklabild einen Erzengel zeigt, den der Katalog 'Age of
Spirituality' S.327a so beschreibt: "frontally an archangel with out-
spread wings, a long cross in his right hand, and an object that is
probably an orb in his left". Dieser Engel hat anscheinend eine Beziehung zu den Löwen, die Thekla umdrängen: er befiehlt wohl den Bestien,
daß sie sich mäßigen und zahm sind. Vgl. die Engel über den Löwen auf
dem Medaillon in Kansas City (Abbildung 14) und das entsprechende
Tierkampfbild auf dem Antependium von Tarragona (Abbildung 31), wo
über den ineinander verbissenen Löwen ein Engel erscheint. Man erinnert
sich an jenen im Hermasbuch Vis.IV,2,4 genannten Engel des Herrn, "der
über die Tiere ist, dessen Name Thegri"lautet. Dieser Engel stand dem
Hermas bei, indem er dem schrecklichen Drachen "das Maul stopfte, damit
er keinen Schaden täte". Andere Texte erwähnen noch andere Engel mit
Kompetenzen im Bereich der Tiere[3]. Auch Daniel hatte in der Löwengrube
einen Engel dabei, der "die Mäuler der Löwen verschloß" (Dan.6,22/23).
Diesen Engel als einen Erzengel darzustellen, mußte in der späten Zeit,
in der der Fingerring entstand (7.Jh.?)[4], naheliegen. Die, auch sonst
sehr oft vorkommenden, Rätselbuchstaben XMΓ bei dem Engel lassen dann
noch die Wahl, ob man in ihm Michael oder Gabriel erkennen will[5]. Die
Drehbarkeit der Ringplatte deutet auf magische Vorstellungen hin;

1   Vgl.Wulff, Altchristliche Bildwerke, S.94: "Die Orans zwischen den Löwen ist
    schwerlich auf Susanna zu beziehen, vielmehr wohl im allgemeinen symbolischen
    Sinne als die Seele in Todesnot aufzufassen".
2   Vgl. wie Severus von Antiochien den heiligen Stephanus als ersten Märtyrer auf-
    seiten der Männer und Thekla als erste Märtyrerin aufseiten der Frauen hinstellt
    (Hom.97 in: Patrologia Orientalis 25,1, p.137, ed.Brière).
3   Vgl.E.Peterson, Frühkirche, Judentum und Gnosis, Freiburg 1959, S.298 mit Anm.51;
    M.Dibelius, (Kommentar zu) der Hirt des Hermas, Handbuch zum Neuen Testament,
    Ergänzungsband IV, Tübingen 1923,S.487f.
4   Vgl.Katalog 'Age of Spirituality', S.327a.
5   Zugunsten Gabriels könnte man auf das 2.pseudocyprianische Gebet verweisen (DACL
    XII,12,2333): "Liberes me sicut liberasti Teclam de medio amphitheatro. Te deprecor,
    pater, qui ...commemoratus es nostri, mittens nobis Jesum Christum etc.natum de Ma-
    ria etc.adnuntiante Gabrielo angelo, per quem nos liberasti de periculo mortis
    imminentis".

man versprach sich von solch einem Ring wohl schützende Wirkung gegen
'Anfälle' aller Art. Die heilige Thekla erscheint hier halb als Schüt-
zerin oder Nothelferin zusammen mit dem Engel und halb als Rettungsparadigma.

Kapitel 10

<u>Das Silberkästchen in Adana</u> (Abbildung 2o und 21)

Im Eski Eserler Müzesi zu Adana wird ein kleines Reliquiar aus Silber-
blech mit gewölbtem Deckel aufbewahrt, das mit größter Wahrscheinlichkeit
aus Kilikien oder Isaurien stammt und gegen 400 oder etwas später entstanden sein wird. Für unser Thema ist nur der Dekor der Breitseiten
(9,8 cm x 4,8 cm) von Belang; für alles weitere verweisen wir auf die
Literatur[1].

Die Breitseiten des Kastens sind einander in der Flächenaufteilung gleich
und entsprechen sich auch im Bilderschmuck, der mit Modeln ausgeprägt
wurde. Die Mitte nimmt jeweils ein Medaillon mit Christus-Apostel-Szene
ein, links und rechts kommt dann je ein hochrechteckiges Heiligenbild
hinzu. Medaillons und Rechtecke sind von Perlband eingefaßt.

Die vordere Breitseite (Abbildung: 20)[2] zeigt im Medaillon den thronenden
Christus mit dem Handgestus der Allmacht, der erhobenen Rechten, flankiert von Petrus und Paulus, die akklamieren[3]. Die Rechtecke links und
rechts sind mit ein- und derselben Model geprägt; sie zeigen jeweils einen heiligen Konon stehend im Gebet, über dessen erhobenen Händen kleine
Kreuze schweben[4]. Dazu liest man in jedem Rechteck die Inschrift:
O ΑΓΙΟC KONON YΓIA. Welcher der verschiedenen kleinasiatischen Heiligen
namens Konon hier gemeint ist, lassen wir vorerst offen. Die Inschrift
ist wohl als Anrufung[5] und Bitte um Gesundheit[6] zu interpretieren. Ganz
außen längs der rechten Kante dieser Breitseite lassen sich noch Reste
einer weiteren Inschrift lesen, die Buschhausen[7] so ergänzt:

---

1 H.Buschhausen, Die spätrömischen Metallscrinia und frühchristlichen Reliquiare,
   Wiener Byzantinische Studien IX,Wien 1971, S.190 - 207, Nr.B4 mit Taf.B 13-19;
   ders., Frühchristliches Silberreliquiar aus Isaurien, in: Jahrbuch der Österreichischen Byzantinischen Gesellschaft 11/12, 1962-63, S.137 - 168; A.Grabar, Un
   reliquaire provenant d'Isaurie, in: CArch 13,1962, S.49 - 59, bes.S.55ff;
   M.Gough, The early Christians, London 1961 und 1965, pl.46 - 48.

2 Der Vorzug der Vorderseite vor der Rückseite ist klar erkennbar daran, daß sich
   hier die Inschriften häufen: 1. die Inschrift im Kononbild, 2.die Inschrift ganz
   rechts außen, 3. die gestichelte Inschrift des Tarasikodissa auf dem gewölbten
   Deckel darüber. Ferner ist die Darstellung Christi in Person gewichtiger als seine symbolische Darstellung in Lammesgestalt.

3 Buschhausen, Silberreliquiar, S.142 oben.

4 Vgl. die auf S. 48,Anm.2 genannten Parallelen.

5 O ΑΓΙΟC KONON läßt sich als Anrufung verstehen, vgl. J.Wackernagel, Über einige
   antike Anredeformen, Univ.Programm Göttingen zum 5.6.1912,S.12. Zu den Schreib-
   arten des Namens Konon s.Buschhausen, Reliquiare, S.197.

6 YΓIA für ὑγίασον "mach gesund". Nach Buschhausen und Grabar wäre das Wort ὑγίεια
   "Gesundheit" gemeint, und man müßte ὁ ἅγιος Κόνον als die übliche Namensbeischrift
   auffassen. Das Schlagwort ὑγίεια liefe allerdings am Ende auch auf einen Wunsch
   hinaus.; vgl.E.Peterson, EIC ΘΕΟC, Göttingen 1926, Register S.330, s.v.ὑγία.

7 Silberreliquiar, S.147; Reliquiare, S.195.

KY(PIE) IH(COY) [BO] IΘ [EI MOI] "Herr Jesu, hilf mir!". Augenscheinlich
ist der betende heilige Konon dabei, als Interzessor diese Bitte des Reli-
quiarbesitzers oder -stifters an den Christus, der im zentralen Medaillon
thront, zu übermitteln.

Die rückwärtige Breitseite des Reliquiars (Abbildung: 21) zeigt im Medaillon das Christuslamm, über dem ein Kreuz schwebt, zwischen den Aposteln Petrus und Paulus. Die rechteckigen Heiligenbilder außen sind wieder einander gleich. Man sieht eine stehende Beterin, über deren erhobenen Händen kleine Kreuze schweben, so wie schon beim heiligen Konon. Sie
trägt eine lange Tunika, ein Maphorion, von dem ein langer Zipfel (oder
ist es eine Haarflechte ?) durch ihre rechte Ellenbeuge fällt, und dazu
noch ein großes, schleierartiges Umschlagtuch, "eine Palla, die so ge-
schwungen ist, daß sie in parallelen Schüsselfalten über dem Mittelteil
der Tunika herabfällt"[1]. Die Beterin ist als Thekla zu identifizieren,
denn sie ist von zwei kleinen Löwen flankiert. Löwe und Löwin, die in
den Acta Kap.33 erwähnt werden, sind - wenigstens auf dem linken Bild -
deutlich unterschieden: der Löwe (jeweils links) läßt sich an seiner
Mähne erkennen, die Löwin (rechts) daran, daß ihre Mähne nur aus einer Halskrause besteht[2]. Thekla tritt den Bestien auf die Schwänze. Dadurch ist angedeutet, daß die Raubtiere ihr nichts anhaben können. Zwar
reißen die Tiere gegen Thekla die Mäuler auf, aber zugleich scheinen sie,
wenn man Haltung und Beinstellung berücksichtigt[3], vor der Heiligen eine
Proskynese zu machen.

Die Darstellung ist insoweit textfern, als die Thekla-Akten von der grim-
migen Proskynese der auf den Schwanz getretenen Löwen nichts erzählen.
Auch die Kleidung der Heiligen entspricht nicht dem Text, der sagt, sie
habe beim Tierkampf nur einen Schurz getragen (Kap.33). Die Textferne
des Bildes und seine heraldische Gestaltung lassen, wenn man die Frage
nach einem Vorbild stellt, etwa an eine repräsentative Apsis- oder Lü-
nettenmalerei denken[4]. Die Löwen, die hier aus Platzmangel seitlich hoch-
gekippt sind, werden dann da auf rechter Standfläche und uneingezwängt
dargestellt gewesen sein.

---

1 Buschhausen, Silberreliquiar, S.147.

2 Vgl. das Photo bei Grabar, Reliquaire, S.51, fig.4.

3 Diese Haltung ist verständlich auch ohne die Bemerkung von Kap.33 der Acta: "die
   wilde Löwin...legte sich ihr zu Füßen" (Apokr.II,S.249).

4 Buschhausen, Silberreliquiar, S.149 mit Verweis auf Grabar, Martyrium II,105ff.;
   vgl. oben S. 41 mit Anm.5.

Die Beischrift auf beiden Theklabildern lautet einfach ΑΓΙΑ "Heilige!" .
In Kilikien und Isaurien ist Thekla eben die Heilige schlechthin, da sie
in Seleukia ihr Heiligtum hat; vielleicht sah man daselbst das vermutete
Vorbild dieser Darstellung.

Ikonographisch ist einerseits sicherlich eine Abhängigkeit von dem häu-
figen Bilde Daniels zwischen den Löwen gegeben[1]. Andererseits darf man
an Darstellungen der kleinasiatischen Göttin Kybele zwischen ihren Löwen
erinnern. Buschhausen[2] weist mit Recht darauf hin, daß die Brustpartie
der betenden Thekla betont ist. Dieses Detail, das zu der Muttergöttin
Kybele besser paßt als zu der Asketin Thekla, könnte ein Indiz für ge-
wollten Kultersatz sein: Thekla anstelle von Kybele. Gerade in ihrem Heiligtum Seleukia hat Thekla die dort zuvor herrschende "Athene-Artemis"
verdrängt.

Warum hat nun der heilige Konon den Platz auf der Vorderseite des Kästchens inne, während Thekla auf der Rückseite erscheint? Diese Verteilung
erklärt sich wohl so, daß das Reliquiar nur Konon-Partikeln barg. Denn
von der heiligen Thekla war so gut wie nichts geblieben[3]; man konnte
in Seleukia nicht einmal ihr Grab zeigen und half sich darum mit der Legende, die Heilige sei (z.B. auf der Flucht vor Unholden) von Felsen,
die sich öffneten und wieder schlossen, aufgenommen worden[4]. Die Römer
konnten an diese Legende anknüpfen und sie weiterspinnen: ja, Thekla sei
von da unterirdisch nach Rom gekommen, habe sich somit wieder an die Spur
ihres Lehrers Paulus geheftet und sei nun nahe bei ihm in Rom bestattet[5].

---

1   Vgl.Kap. 9 (Berliner Kamm). Die Ähnlichkeit konstatiert bereits Ps-Basilius,
     Kap.19 (Dagron, S.246f).

2   Silberreliquiar, S.150; ders., Reliquiare, S.196, Anm.1; M.Riemschneider, Heid-
     nische Götter in christlichem Gewande. Die Löwenheiligen. Byzantinische Beiträge,
     hrsg. von J.Irmscher, Berlin 1964, S.84ff.; B.Kötting, Peregrinatio religiosa,
     Regensburg-Münster 1950, S.144, Anm.328. Artemis (statt Athene, wie bei Basilius)
     als Göttin von Seleukia wird in den Anhangskapiteln erwähnt, die die Codices ABC
     und G noch zu den Acta Theclae haben (Acta Apostolorum Apocrypha I, ed.Lipsius,
     S.270f), sowie bei Symeon Metaphrastes (Migne PG 115, 844 A).

3   In dem längeren Schluß der Acta Theclae in den Codices G und M wird erzählt, daß
     die Heilige "nur ein Stück ihres Maphorions" in den Händen ihrer Verfolger hin-
     terließ (Acta Apostolorum Apocrypha I,ed. Lipsius, S.272), und das war dann ver-
     steinert: vgl. Kap. 12, S. 65-66 .

4   Die Acta Theclae Kap.43 enden: "sie entschlief", ohne von einem Grab zu sprechen.
     Nach Acta Apostolorum Apocrypha I, ed. Lipsius, S.270f. Codices ABC Kap.45 war
     Thekla neunzig Jahre alt, als sie starb. Zur Entwicklung der Legende um ihr Le-
     bensende vgl. unten S. 64-66 .

5   Acta Apostolorum Apocrypha I, ed.Lipsius, S.270 unten Z.4ff. nach den Codices
     ABC.- Über das Grab der Thekla in Rom und die dortige Thekla-Katakombe s.DACL
     XV,2,Sp.2235f. Vgl. noch Dagron, S.50,Anm.1.

Später hat man auch im Osten ein Thekla-Grab gehabt und sogar einen Leichnam, denn anders hätte im Jahre 1319/20 der König Wasgen von Kleinarmenien
den Spaniern unter Jakob II. von Aragon nicht einen Arm der Heiligen über-
lassen können, der dann nach Tarragona gebracht wurde (vgl.Kap.14b).
Das arabisch-koptische Synaxar vermeldet, man sage, daß Theklas "Körper
sich zur Zeit in Singār befinde, wie die Lebensbeschreibungen der Patri-
archen bezeugen" (Übersetzung Wüstenfelds bei O.v.Gebhardt, Die lateinischen Übersetzungen der Acta Pauli et Theclae,S.184). Aber in der alten Zeit war eben kein Leichnam und kein Grab Theklas vorhanden, also gab
es auch keine Partikeln von ihr, und so hat unser Reliquiar allenfalls Konon-Partikeln enthalten können. Demzufolge erscheint Konon auf der Vorderseite des Kästchens. Er, der drinnen manifest Anwesende, tritt vor
Christus für die "Gesundheit" des Besitzers, Stifters, Verehrers ein und
wirkt segensreich, da er die inschriftliche Bitte "Herr Jesu, hilf mir"
weiterträgt und so den Segen des allmächtigen Herrschers Christus er-
wirkt. Die Theklabilder der Rückseite aber zeigen, daß der Reliquiar-
besitzer oder -stifter eben so großen Wert auf die Interzession Theklas
legte, denn sie war die hochberühmte Wunderheilerin von Seleukia[1], und
strahlte ihr Glanz nicht weit heller als das Licht Konons?
Schließlich bleibt noch die Frage: welcher der Heiligen namens Konon tritt
uns hier entgegen? Die Bibliotheca Hagiographica Graeca verzeichnet den
Namen fünfmal:

a	Conon et Conon, pater et filius	(No.360 in Bd.I,120 f)
	martyres Iconii sub Aureliano	
b	Conon hortulanus	(No.361 ebd.)
	martyr in Pamphylia sub Decio	
c	Conon martyr in Cypro,	(ebd. und No.1198 in Bd.II,96)
	(in einer Gruppe von) martyres XIII	
	in Cypro a Latinis occisi + 1231	
d	Conon martyr in Isauria	(No.2077-79 im Suppl.Bd.III,16 f)
e	Conon presbyterus	(No.2080 ebd.)
	in monasterio Penthucla saec. VI	

Die Konon c und e scheiden als zu spät von vornherein aus. Grabar[2] favo-
risiert den Konon d von Bidana in Isaurien, "parce que c'était un saint
de la région même d'où nous vient le reliquaire". Buschhausen[3] plädiert
für Konon b aus Magydos in Pamphylien, mit der wenig einleuchtenden Begründung, daß "die Legende seiner Passio einen historischen Kern" ent-

1   Eine Aufzählung ihrer Wundertaten unternahm Ps-Basilius.
2   Reliquaire, S.55 unten.
3   Silberreliquiar, S. 152.

halte. Vom Reliquiar selbst her geurteilt, wird man sich jedoch für den
Konon a entscheiden müssen. Denn nur dieser hat von vornherein eine Ge-
meinsamkeit mit der ihm gegenübergestellten Thekla: beide Heilige stammen aus Ikonium. Die Begründung, mit der Grabar den Konon d vorzieht,
ist nicht zwingend, denn nach einer auf dem Wölbdeckel vorn später ein-
gestichelten Votivinschrift könnte das Reliquiar z.B. noch durch die
Hände eines zweiten Besitzers oder Stifters gegangen und von Ort zu Ort
verbracht sein. Wenn der abgebildete Heilige als Konon a von Ikonium
identifiziert wird, dann eröffnet sich zuletzt sogar noch eine Möglichkeit zur Erklärung seiner doppelten Darstellung. Denn dieser Konon war
Vater eines gleichnamigen, zwölfjährigen Sohnes, der mit ihm zusammen
Märtyrer wurde. Wir behaupten nicht, das Reliquiar wolle rechts den Vater und links den minderjährigen Sohn zeigen[1]; aber es kann sein, daß
die familiären Verhältnisse Konons dieser seiner doppelten Darstellung
letztendlich den Weg bereitet haben. Daß entsprechend dann auch Thekla
auf der Rückseite zweimal dargestellt wurde, erscheint als zwangsläufige
Folge.

---

1   Ausschließen läßt sich diese Betrachtungsweise übrigens keineswegs. Wir brauchen
    nur an die verbreitete, sich an Eph. 4,13f und Lk.3,23 anlehnende Spekulation zu
    erinnern, daß die Seligen, speziell auch die als Kinder Verstorbenen, alle von
    einerlei Gestalt und zwar dann dreißigjährig sein werden - und schon könnten wir
    Sohn und Vater Konon nicht mehr unterscheiden (vgl. die apokryphe Johannes-
    Apokalypse 10-12 ed. K.v.Tischendorf, Apocalypses Apocryphae, Leipzig 1866,S.78).
    Aus Buschhausen, Reliquiare, S.197, Anm.4 entnehmen wir den Hinweis auf:
    G.Caporale, Il martirio e culto dei Santi Conone e figlio protettore della città
    di Acerra, Neapel 1885.

Kapitel 11

Der Thekla-Vorhang in Washington (Abbildung 22)

Auch unter den koptischen Stoffen gibt es ein größeres Fragment[1], das
sehr wahrscheinlich in einer Beziehung zur heiligen Thekla steht. Das
Stück, das rundherum beschädigt ist, zeigt nämlich rechts vom Kopf einer
Orans die beiden Buchstaben Λ und A , die sich sinnvoll zum Namen Thekla
ergänzen lassen. Die Darstellung wurde bis jetzt fast ausnahmslos als
männliche Figur angesehen und dann kurzerhand als Priester[2] gedeutet,
obwohl sich außer der Inschrift auch noch andere ikonographische Details
nur auf eine weibliche Person beziehen können: 'Thekla' trägt nämlich
Stirnschmuck und Ohrringe, ob auch einen Halsreif, könnte man nur vor
dem Original entscheiden. Außerdem bedeckt das Maphorion ihren Kopf.
Ein breiter Schal oder Umhang (oder noch das Maphorion ?) legt sich vorn
über ihre Brust und fällt dann nach hinten über Schultern und Oberarm.
An dieser Stelle bricht das Fragment nach unten hin ab. Links fehlt der
Arm ganz, rechts ist er dagegen vollständig erhalten und betend erhoben.
Das mit Kreuzzeichen verzierte 'Mieder' ist wohl der Schmuck der kurz-
ärmeligen Tunika, die Thekla unter dem Schal oder Umhang trägt. Die Ver-
zierung unter ihrer erhobenen linken Hand wird dann keine Ärmelborte,
sondern ein breites Armband, ein Schmuckstück sein. Theklas fehlende
Rechte ist gewiß wie die erhobene Linke zu ergänzen, so daß die Heilige
als Orans dagestanden hat. Rechts neben ihr steht vor einem nur mit wenigen, kleinen Strichen geschmückten Hintergrund ein großer Leuchter;
er hat oben eine kelchförmige Fassung oder ein Kapitell, und auf dem
Dorn steckt eine deutlich brennende Kerze. Wie nun links der Arm der
Beterin zu ergänzen war, so ist da aus Symmetriegründen auch noch ein
zweiter Leuchter anzunehmen. Dieses Bildmotiv 'Orans zwischen Leuchtern'
ist verbreitet.[3] Die Frage, ob die dargestellte Thekla die Heilige oder
irgendeine Privatperson oder Stifterin sei, wird zugunsten der Heiligen
entschieden, da die brennenden Leuchter Hoheitszeichen sind. Die Gebetshaltung der Heiligen versteht sich als interzessorisch.

---

1 Washington, D.C. The Textile Museum, Inv.nr.TM 71.46; h = 33,5 cm, b = 38 cm;
   Herkunft unbekannt, aus dem 4. oder 5.Jh. - Abbildungen: Katalog 1'Art Copte,
   Petit Palais, Paris 1964, Nr.173; Katalog Koptische Kunst, Christentum am Nil,
   Essen 1963, Nr.280; Katalog Frühchristliche und Koptische Kunst, Wien 1964,
   Nr. 500 und Abb.107; Katalog Pagan and Christian Egypt, Brooklyn Museum 1941,
   Nr. 249.
2 So alle Kataloge außer dem des Brooklyn Museums: "Female saint... (Thekla?)".
3 Vgl. den Noppenstoff im Museum von Detroit, der sogleich besprochen wird, und das
   nordafrikanische Fresko in DACL II,2,1834 (s.v.'candelabre'), außerdem DACL XII,2,
   2313/18/24 mit drei weiteren Bildern (s.v.'Orant').

Das Mindestformat des Vorhanges läßt sich nach den hinzugedachten Er-
gänzungen ungefähr ausrechnen. Von Außenkante zu Außenkante der Leuch-
terkelche ergibt sich eine Breite von rund 60 cm, wozu dann aber noch
zwei Ränder unbekannter Breite kommen müssen. Die Gestalt Theklas wird,
wenn man das erhaltene Höhenmaß ein wenig mehr als verdoppelt, etwa 65 cm
an Standgröße gehabt haben; zweifellos ist der ganze Vorhang wesentlich
länger gewesen, denn schon die Leuchterflamme geht ja über die Figur der
Heiligen und die Inschrift noch hinaus.

Durch seine textile Gestaltung und sein großes Format ordnet sich der
Thekla-Stoff in die Gruppe der Noppenstoffe ein, die besonders schwer
sind und bevorzugt für Vorhänge, Wandbehänge und ähnliches verwendet
werden. Immer ist es allein die Darstellung, die in Noppentechnik auf
den einfachen Leinengrund eingewebt ist. Eine Sondergruppe der Noppen-
vorhänge hat Architekturdarstellungen: diese bestehen jeweils aus zwei
Säulen (die oft mit verschiedenen Kanneluren, Flechtbändern und anderen
Ornamenten verziert sind) und aus einer Arkade oder einem Giebel, die
mittels Kapitellen auf den Säulen aufliegen. Im Interkolumnium steht
häufig eine Oransfigur, wie dies z.B. auf einem Noppenstoff in Detroit[1]
der Fall ist. Vergleicht man die Orans dort mit unserem Theklafragment,
so ergeben sich einige Übereinstimmungen. Die Orans auf dem Detroiter
Stoff steht wie Thekla zwischen zwei, wenn auch stark stilisierten,
dreifüßigen Leuchtern, sie trägt wie Thekla Schmuck, Maphorion und
Schal, der rechts und links der Ellenbogen herabhängt, und wie bei Thekla kann man auch bei ihr Buchstabenreste über dem Kopf erkennen, die
zu ihrem Namen gehören müssen. Gemäß dieser nächsten Parallele muß man
sich wohl auch Thekla mit den Leuchtern noch in einer architektonischen
Rahmung denken. Im Format ist der Stoff in Detroit dem Theklavorhang
vergleichbar; freilich sind alle Maße etwas bescheidener. Ähnliche Di-
mensionen haben noch weitere Noppenstoffe, die ebenfalls eine Architek-
turrahmung aufweisen.[2] Die Gesamthöhe dieser Textilien liegt bei jeweils
etwa 120 - 140 cm, die Breite um 100 cm. Neben Oranten kommen auf den
Noppenstoffen dieser Größe auch andere Themen vor: Auf einem Vorhang
in Berlin[3] schreitet ein Mann mit einem Leuchter in der Hand nach rechts.

1 Detroit, Michigan; The Detroit Institute of Arts, Nr.d'entrée 46.75; Abbildungen:
   Katalog Petit Palais, Paris, Nr.172 = Katalog Koptische Kunst, Nr.281 = Wessel,
   Koptische Kunst 130 bei S.235; Format: 69,8 cm x 64,2 cm.

2 Beispiele: Berlin, J.9224, O.Wulff-W.F.Volbach, Spätantike und koptische Stoffe
   aus ägyptischen Grabfunden, Staatliche Museen Berlin 1926, S.6 und Taf.43.
   Bern, Abeggstiftung, Abb.: Katalog Petit Palais, Paris, Nr.175; vgl. zu diesem
   ungewöhnlich großen Stück, das eine ganze Orantenfamilie zeigt: Kunsthaus Zürich,
   5000 Jahre ägyptischer Kunst, Nr.445.

3 Berlin, J.9223; Wulff-Volbach, Stoffe, S.6 und Taf.2.

Auf einem anderen Vorhang in Boston[1] steht eine Figur, die in der rechten Hand eine Schale, in der anderen wohl einen Stab hält. Beide Darstellungen scheinen aber durch ihre Komposition auf ein bildliches Pendant hin angelegt zu sein; die Figuren befinden sich jeweils in Aktion,
so daß sie sich mit der Beterin nicht mehr vergleichen lassen.
Alle Noppenstoffe mit irgendwelchen Architekturdarstellungen wurden
wohl in ähnlicher Weise verwandt. Denn es liegt nahe, in der Darstellung
selbst einen Reflex ihrer tatsächlichen Verwendung zu sehen und sie als
textile Interkolumnien, als Vorhänge zwischen Säulen, zu erklären. Gelegentlich sind sogar die Hängeschlaufen erhalten.[2] Solche Interkolumnien kann man sich an verschiedenen Stellen der sogenannten Kleinarchi-
tektur vorstellen, z.B. an Ziborien oder vor Wandnischen u.ä. Auch die
Maße der Noppenstoffe sind ein Hinweis auf Verwendung in derartigem
Zusammenhang. Wenn der Thekla-Vorhang, so läßt sich denken, einst vor
einer heiligen Nische oder dergleichen hing, dann konnte die Heilige
vor dem Sacrum den Gläubigen regelrecht als Mittlerin erscheinen.

1   Boston, Museum of Fine Arts, Inv.nr.49.315. Katalog Petit Palais, Paris, Nr.165 =
    Katalog Koptische Kunst, Nr.277 = Katalog Wien Abb.105, Nr.503; zu diesem Stück
    s.A.C.Weibel, Two Thousand Years of Textiles, New York 1952, Nr.16.

2   Bei einem allerdings größeren Stück anderer Technik, aber ebenfalls mit Architek-
    turdarstellung: Berlin, J.4832; Wulff-Volbach, Stoffe, S. 12, Taf.47; C.M.Kauf-
    mann, Handbuch der christlichen Archäologie, Paderborn 1913², fig.236, S.386ff.

Kapitel 12

Die Reliefs im Brooklyn-Museum (Abbildung 23 und 24)

Das Kalksteinrelief mit der Darstellung Theklas zwischen anspringenden Raubtieren, das im Brooklyn - Museum in New York aufbewahrt wird[1], hat fast in jedem neueren Werk über die spätantike Kunst Ägyptens Erwähnung gefunden[2] und ist auch in einigen Ausstellungen gezeigt worden[3]. So darf man dieses Stück als ein Hauptwerk unter den koptischen Steinreliefs[4] bezeichnen. Das Brooklyn - Museum besitzt noch ein zweites Relief von ganz derselben Art und fast demselben Format mit einem Reiterbild[5]. Wir besprechen die beiden offenbar zusammengehörigen Stücke nacheinander. Die Datierung ist ungewiß; sie schwankt zwischen dem 6.Jh.[6] und dem 9.Jh.[7]

a) Das Relief mit Thekla zwischen den Raubtieren (Abbildung: 23)

Daß die Darstellung als Theklabild zu verstehen sei, ist einhellige und richtige Meinung der Interpreten. Die Frage ist jedoch, um welche Szene im Leben der Heiligen es sich hier handelt. Bisher hat man meist gesagt, in der Bildmitte sei Thekla auf dem Scheiterhaufen umgeben von Flammen

1 Nr.40.299; 33,5 x 58,3 x 13,5 cm; Herkunft unbekannt.

2 Abbildungen: Katalog Late Egyptian and Coptic Art. An Introduction to the Collections in the Brooklyn Museum, Brooklyn Museum 1943, pl.20; Katalog Pagan and Christian Egypt. Egyptian Art from the first to the tenth century A.D.1941, Brooklyn Museum 1941, Nr.59; J.Beckwith, Coptic Sculpture 300-1300, London 1963, Nr.121; P. du Bourguet, Die Kopten, Baden-Baden 1967, Abb.12; A.Effenberger, Koptische Kunst, Leipzig 1974, Abb.54; K.Wessel, Koptische Kunst. Die Spätantike in Äygpten, Recklinghausen 1963, Abb.52 auf S.61; H.Zaloscer, Die Kunst im christlichen Ägypten, München 1974, Taf.41.

3 Katalog L'Art Copte, Petit Palais, Paris 1964, Nr.51, S.83; Katalog Koptische Kunst, Christentum am Nil, Essen 1963, Nr.92, S.241.

4 Wegen der inhaltlichen Nähe, die dieses Relief zu einem Text des Symeon Metaphrastes hat (vgl.unten S.66) und wegen der Beziehung, die zwischen dem anderen Relief und einer Ps-Chrysostomischen Rede herstellbar ist (vgl. unten S.71 f), kann man freilich geneigt sein, die nicht sicher verbürgte ägyptische Provenienz beider Stücke zur Diskussion zu stellen. Oder meint der Katalog des Brooklyn Museums (1941) mit der Angabe "provenance: unknown" nur, daß man nicht weiß, aus welchem Ort oder welcher Region Ägyptens die Reliefs stammen?

5 Nr.40.300; 38,3 x 58 x 13,5 cm; Herkunft unbekannt; Nachweise: Katalog Essen, S.241; Katalog Late Egyptian and Coptic Art, pl.19, S.18; Katalog Pagan and Christian Egypt, Nr.58, S.27; Beckwith, Coptic Sculpture Nr.122, S.55; Du Bourguet, Die Kopten, S.176; Effenberger, Koptische Kunst, S.238; Zaloscer, Die Kunst im christlichen Ägypten, Abb.44 und S.117; - Die Zusammengehörigkeit der beiden Reliefs wird nur manchmal erwähnt, meist auch nur das erstgenannte abgebildet.

6 Z.B. im Katalog von Essen, S.241; im Pariser Katalog, S.83; Wessel, Koptische Kunst, S.168 (ab 5.Jh.); Katalog Late Egyptian and Coptic Art, S.18; Katalog Pagan and Christian Egypt, S.27f.; zwischen dem 6.und 8.Jh. angesetzt von Beckwith, Coptic Sculpture, S.55.

7 So z.B. du Bourguet, Die Kopten, S.176; Effenberger, Koptische Kunst, zu Abb.54.

und zugleich wunderbar geschützt dargestellt, und die Raubtiere seien die beim Tierkampf auf sie losgelassenen Bestien[1]. Nach dieser Auffassung wären hier also zwei Szenen vereint: das Feuer-Martyrium von Ikonium (Acta Kap.22) und der Tierkampf von Antiochia (Kap.33-35). Wir lehnen diese Deutung ab, weil sie die entscheidenden Einzelheiten des Bildes verkennt oder mißachtet, und entwickeln ein durchaus neues Verständnis.

Im Zentrum der Darstellung steht, nackt bis zur Gürtellinie, Thekla; sie trägt nur einen langen Schurz, von dem ein großer Zipfel rechts unten umgeklappt oder umgeschlagen ist. Thekla reckt ihre Arme hoch und greift an die Seitenarme eines verzierten, griechischen Kreuzes, das über ihrem Kopf erscheint, ja mit dem unteren Kreuzarm da geradezu aufruht. Rechts und links schirmen dicke, mit Knick von oben bis unten reichende und dort in Blattwerk aufgehende Linien die Heilige gegen zwei Tiere ab, die sie wütend anspringen. Diese Bestien, die das Maul aufreißen und den Schwanz hochstellen, sind gewiß keine Löwen, Bären oder Leoparden, wie sie Thekla im antiochenischen Tierkampf begegneten, sondern Hunde oder Wölfe. Sie springen aus Gebüsch und unter Bäumen hervor. Daß die spitzen Blattzungen der Büsche sicherlich keine Feuerflammen[2] eines etwaigen Scheiterhaufens sind, läßt sich an den waagerechten Buschwurzeln oder Kriechästen sehen, die mit den Baumstämmen rechts und links unten verwachsen sind; der botanische Charakter der Blätter wird vollends unzweifelhaft, wenn man einen vergleichenden Blick auf das andere Relief mit dem Reiter wirft (Abbildung: 24). Es ist nach der Beschreibung ganz klar, daß wir weder Theklas Feuermartyrium noch ihren Raubtierkampf vor uns haben.

Dargestellt ist vielmehr die allerletzte Szene in Theklas Leben: ihr Verschwinden in der Erde. Von dieser Episode wissen die alten Acta Theclae noch gar nichts; man erfand die neue Kunde an dem Wallfahrtsort der fabelhaften Heiligen in Seleukia, um den dorthin strömenden Pilgern, die nach dem Grabe Theklas fragten, das man doch nicht vorweisen konnte, da es nicht vorhanden war, befriedigende Auskunft zu geben[3]. Bei Basilius klingt die Neuheit der Erfindung noch an (Kap.28, Dagron, S.280): nach langer missionarischer Tätigkeit in Seleukia "entschlief Thekla,

---

1   So die auf der vorigen Seite in Anm.2 und 3 genannten Kataloge und Autoren (Beckwith, S.55; Du Bourguet, S.50, 176; Effenberger, S.238; Wessel, S.41f.,168; Zaloscer, S.96, 117, 128; vgl.S.149ff.).

2   So z.B. Du Bourguet, S.50, 176; Effenberger,S.238; Katalog 'Koptische Kunst', Nr.92, S.241; Katalog L'Art Copte, Nr.51, S.83; Zaloscer, S.117.

3   Vgl.Dagron, S.50ff., 72f. und schon die Rezension von Th.Zahn zu Schlau, in: Göttingische Gelehrte Anzeigen 1877, 1293: "Die im Theklakloster bei Seleucia in Ermangelung eines ostensiblen Grabes der Heiligen erdichtete Fabel".

so die meist verbreitete und wahrhaftigere Nachricht, keineswegs, sondern
tauchte lebend unter und verschwand in die Erde hinab - es gefiel Gott
so, daß sich vor ihr spaltete und unterwärts sich auftäte eben jene Erde,
an welchseligem Orte (heutzutage) der heilige Altartisch fixiert ist"
und die heilkräftigen Wasserquellen springen. Mit einer abenteuerlichen,
nicht mehr auf Gottes unerforschlichen Ratschluß verweisenden Motivierung
versehen, begegnet die trügerisch-fromme Auskunft dann in den Nachtrags-
kapiteln, die in den Codices ABC, G und M das Ende der Acta Theclae bilden. Die heidnischen Ärzte von Seleukia wollen der nun neunzigjährigen
Wundertäterin Thekla, deren Konkurrenz das Geschäft in der Region empfind-
lich geschädigt hat, endlich das Handwerk legen und heuern eine Schläger-
bande von Burschen an, die Thekla vergewaltigen sollen. Vor dieser Rotte
"trat sie dank Gottes Vorsehung lebend in den Felsen ein und ging unter
die Erde"[1]. Ihre letzte Plausibilität erhält die Geschichte schließlich
dadurch, daß Thekla ein Beweisstück zurückläßt. Davon ist in den Codices
G und M und in noch einem verwandten Text (bei Dagron, S.421), bei Niketas von Paphlagonien[2] und Symeon Metaphrastes[3] (beide 9./10.Jh.) die
Rede. Thekla führt mit den Buben, die zu ihrer Einsiedlerhöhle auf den
Berg Kalamon oder Rhodeon ("Röhricht"- oder "Rosenhag-Berg"[4]) vorge-
drungen sind, erst noch hin und her Verhandlungen, spricht dann ein län-
geres Gebet, worauf ihr eine Himmelsstimme antwortet, und geht endlich
schnell in den aufgetanen Felsen ein. "Und sofort ward zugeschlossen,
und nicht ein Spalt war mehr zu sehen. Aber jene versuchten noch an ihren
Kleidern anzupacken"[5], "erwischten jedoch bloß noch ihr Maphorion"[6],
"und da ließ sie ein Stück ihres Maphorions draußen zur Beglaubigung"[7],
bzw. die bösen Buben "konnten noch ein Stück davon hervorziehen", da
Gott dies genehmigte[8] "zur sicheren Bestätigung für die, die den vereh-
rungswürdigen Ort sehen"[9]. "So war Theklas Lebensende". Das heißt:

1   Acta Apostolorum Apocrypha I, p.270, Z.4f Codd.ABC.

2   Migne PG 105, 332A.

3   Migne PG 115, 844C-845A.

4   Bei Photios, Enkomium auf die heilige Protomärtyrerin Thekla 9 (bei O.v.Gebhardt,
    Die lateinischen Übersetzungen der Acta Pauli et Theclae, Leipzig 1902,S.181, Z.13)
    hat Thekla ihre Einsiedlergrotte in einer Lokalität namens Myrsinon "Myrtenhain";
    der Text bei Dagron, S.416 nennt den Ort Myrseon.

5   Dagron, S.421, Z.190-192.

6   Acta Apostolorum Apocrypha I, p.272 G.

7   Dagron, S.421, Z.192f.   8   Handschrift G.

9   G, M (ebd.) Dagron, S.421, Z.192f.- Das Motiv des draußen gelassenen, eingeklemm-
    ten Gewandzipfels spielt auch im Martyrium des Propheten Jesaia eine Rolle: Jesaia
    war vor den Verfolgern in einen Baum geflüchtet, der sich aufgetan hatte, aber der
    Gewandzipfel verriet das Versteck; da zogen sie die Säge durch den Baum und den
    Propheten zugleich (Quellen: Herzog-Hauck, Realencyklopädie für protestantische
    Theologie und Kirche³, Bd.VIII,714; Th.Schermann, Vitae prophetarum, Leipzig 1907).

zuletzt ist man imstande, den Pilgern an der Memorialstätte den heiligen
Felsen mit versteinertem Zipfel des Kopf- und Schultertuches[1] zu zeigen.

Das Relief nimmt offensichtlich auf dieses letzte Stadium in der
Legendenentwicklung Bezug. Thekla versinkt in der Erde, von ihren Füßen
sieht man schon nichts mehr[2]. Der Fels klafft auseinander, und der Ge-
wandzipfel, der eingeklemmt wird, zeichnet sich ab. Das über Thekla er-
scheinende Kreuz symbolisiert die himmlische Antwort auf ihr letztes Notgebet und wehrt als apotropäisches Zeichen gerade noch die Verfolger ab,
die das Nachsehen haben. Thekla hält sich an das rettende Kreuzzeichen,
und wiederum drückt dieses sie in den Erdspalt hinab. Daß die Verfolger
als wilde Hunde oder Wölfe, also ganz vertiert, dargestellt sind, hat
seine nächste Parallele in einem Susannabild, wo die zudringlichen Alten
ebenso erscheinen[3]. Symeon Metaphrastes bedient sich der folgenden Worte[4]: Thekla, "durch die Versammlung der Übeltäter rings bedrängt, und da
die vielen Hunde sie umringten (denn sie legten schon Hand an sie und
drangen wütig darauf sie zu vergewaltigen), hob den Blick gen Himmel"
und fing an zu beten. Das Waldesdickicht rundum zeigt an, daß die Szene
auf dem Röhricht- oder Rosenbusch-Berg bei Seleukia stattfindet. Die Dra-
matik der Situation ist dadurch, daß Thekla und das Kreuz die Vertikale
beherrschen, die Hunde aber quer dazu und gegeneinander laufen, ferner
durch die Menge der spitzen Blätter und die Auflösung der Fläche in ein
unruhiges Gewirr hell-dunkler Linien hervorragend eingefangen.

Aus dem engen Verhältnis, in dem das Relief zu derjenigen Version der Legende steht, die in G, M, in dem Text bei Dagron (S.418-421), bei Niketas und Symeon Metaphrastes belegt ist, ergibt sich leider kein näherer

1   Maphorion: G, M, Dagron, S.421; Epomis: Niketas (Migne PG 105, 332A); Omophorion:
    Symeon Metaphrastes (Migne PG 115, 845A).

2   Durch ihr Verschwinden in der Erde ist Thekla den Nymphen gleich, die gelegentlich,
    wenn ihre Keuschheit bedroht ist, von der Mutter Erde wunderbar in ihren Schoß
    wieder aufgenommen werden. Diese Ähnlichkeit deutet noch auf eine spezielle Kult-
    kontinuität in Seleukia (neben derjenigen von Athene/Artemis - Thekla) hin, zu-
    mal Ps-Basilius da, wo er über die Heilquellen der Thekla-Kirche spricht, Worte
    wählt, die Thekla wie eine Quellnymphe erscheinen lassen (Text Dagron, S.280,
    Z.12-14). Verfolgt hat diesen Gedanken schon L.Radermacher, Hippolytos und Thekla.
    Studien zur Geschichte von Legende und Kultus, in: Kais.Akad. der Wissenschaften
    in Wien, Phil.-hist.Klasse, Sitzungsberichte 182,3.Abh.,Wien 1916, S.60 f. und 117f.

3   Malerei in der Prätextat-Katakombe: "Susanna" als Lamm zwischen den Wölfen (DACL
    XV,2,1749, fig.10976; P.Du Bourguet, Art paléochrétien, Paris 1970, S.159). Sonst
    gilt: "La représentation du loup est assez rare sur les monuments de l'antiquité
    chrétienne" (DACL IX,2,2594, Leclercq).

4   Migne PG 115, 844C; Symeon benutzt Ps 21,17 (LXX): "mich umringten viele Hunde,
    die Versammlung der Übeltäter umfing mich".

Hinweis für die schwankende Datierung des Stückes (6.-9.Jh.), denn was
älter ist, die literarische Bezeugung der Legende oder dieser archäolo-
gische Beleg, steht dahin. Die Übereinstimmung, daß man auf dem Relief
die Hunde sieht, die Symeon Metaphrastes erwähnt, kann zwar zu denken
geben, ist aber kein hinreichender Grund für die Annahme, das Relief sei
von der metaphrastischen Vita Theclae abhängig.
Aus einigen Einzelheiten des Bildes lassen sich noch Schlüsse auf eine
Vorlage ziehen. Entgegen der literarischen Tradition, die einmütig davon
spricht, Thekla habe einen Zipfel ihres Hals- oder Schultertuches hinter-
lassen[1], klappt auf dem Relief ein Zipfel von Theklas Schurz um. Der
Schurz hinwiederum ist nicht das Kleid, das man bei der alten Einsiedlerin Thekla erwarten darf[2], sondern ist die Tracht ihrer Tierkämpfe
in Antiochia (Acta Kap.33). Von daher kommen wir zu der Vermutung, daß
hier wohl ein Bild von Theklas Selbsttaufe durch Sprung in den Robbenteich (nach Acta Kap.34) zur Vorlage gedient hat[3]. Die Haltung Theklas
mit den hochgereckten Armen entspricht gerade der Art, wie einer von oben
herab in ein Gewässer springt. Anstelle der fließenden Linien des Blatt-
werks der Büsche und Bäume lassen sich mühelos die bewegten Wellen des
Robbenteiches denken - man vergleiche: wieviel trockener in der Linien-
führung ist die Darstellung der Vegetation auf dem anderen, dem Reiter-
relief! Die anstürmenden Hunde oder Wölfe auf dem Bild von Theklas Lebensende haben dann die Stelle der Robben eingenommen. Von den Robben zu reden, erweckt freilich einen falschen Eindruck, denn wen könnten die harm-
losen, schläfrigen Tiere schrecken?[4]. Nach der Vorstellung der Acta Theclae Kap.34 ist jedoch das Schicksal, von den "Robben" gefressen zu werden, insonderheit entsetzlich. Der Verfasser der Acta und die Leser werden sich die Robben wohl als See-"Hunde" und Meer-"Wölfe" gedacht haben[5],

1 Vgl.oben S.66, Anm.1.
2 Vgl. die würdige, dunkle Nonnentracht von Tunika, Palla und Maphorion, die Thekla
   auf der Miniatur im Menologion des Basileios trägt (Cod.Vat.Gr.1613,S.64 zum24.9.).
   Thekla steht hier betend allein in einsamer Landschaft, die durch drei, vier hohe
   Berggipfel und tiefe Schluchten als die isaurische Umgebung der Einsiedlerin gekennzeichnet ist.
3 Auf dem Antependium von Tarragona (dazu unten S.90, Abb.31) sieht man Thekla
   nackt im Wasser stehen. Mit den Händen deckt sie ihre Scham. Unten am Bildrand
   ist ein Wellenberg dargestellt, aus dem acht schuppige, kleine Robben auffahren.
   Die Robben sind z.T. fabulös wie Drachen mit Ringelschwanz und Flügeln dargestellt
   (vgl. noch Anm. 1, S. 68). Über Theklas Schultern sitzen scheußlich glatte, aufge-
   blähte Riesenunken.
4 Robben harmlos und schläfrig: vgl.O.Keller, Die antike Tierwelt I, Leipzig 1909,
   S.407f; W.Richter, Artikel "Robbe", in: Kleiner Pauly IV, 1438f.
5 "Unter dem lateinischen See'hund' ist stets der Haifisch zu verstehen" (Keller,
   a.a.O., S.408). Und wie canis marinus sind auch im Griechischen "Hund" und "Fuchs"

und dementsprechend wird auch die Darstellung gewesen sein; man wird hier
Mischwesen, vorn mit Hunde-, Fuchs- oder Wolfskopf und hinten mit Fischschwanz, voraussetzen dürfen[1], die also leicht in die jetzigen Landraub-
tiere umzuwandeln waren. Die Begrenzungslinien der Felsenkluft, in welcher Thekla versinkt, haben dann ehedem den Satz von Acta Kap.34 illustriert, daß im Wasser "um Thekla herum eine Feuerwolke war, so daß die
Tiere sie nicht anrühren" konnten. Schließlich hat in der Szene von Theklas Selbsttaufe auch das Kreuz über der Heiligen den allerbesten Sinn.
Daß sich ein Kreuz vor oder über Thekla gezeigt habe, wird zwar in den
Acta nirgendwo und auch bei den späteren Autoren an keiner Stelle erwähnt[2], aber der "Schein eines Feuer-Blitzes", dessen "Herabfahren vom
Himmel ins Wasser "[3] in dem Moment erfolgt, als Thekla sich mit den Worten der Taufformel auf den Lippen ins Bassin stürzt (Acta Kap.34), ließ
sich eben am besten in dieser Weise bildlich darstellen, denn das Kreuz
über Thekla hat eine Innenverzierung und muß als Lichtkreuz interpretiert
werden[4]. Sein Erscheinen in und über der Taufszene ist auch deswegen über-
aus passend, weil Thekla sich hier ja gerade das "Siegel"[5] verschafft;
außerdem wird so das Wasser exorzisiert (darum schwimmen die Robben nach
Acta Kap.34 schließlich tot an der Oberfläche), werden die Wellen zum

Namen des Haifisches. " 'Hund' ist wohl die allgemeinste volkstümliche Bezeichnung"
für den Hai (W.Richter, Artikel "Hai", in: Kleiner Pauly II,918f; vgl. noch Keller,
Tierwelt II, Leipzig 1913, S.381).

1 Vgl.A.Rumpf, Die Meerwesen auf den antiken Sarkophagreliefs (= Die antiken Sarkophagreliefs V,1), Berlin 1939, S.101b: Robben sind auf den Sarkophagen nie abgebildet, haben aber die Darstellung der fabulösen Meerwesen im Sinn einer organisch wir-
kenden Leibesdurchbildung beeinflußt. Das Ungeheuer Skylla, das bis zur Gürtellinie
eine schöne Jungfrau ist, aber dann in einem Kranz von mehreren, meist drei, Hunds-
vorderleibern endet und auch noch ein paar Fischschlangenkörper und Flügel hat
(Rumpf, S.107f), mag auf jene Darstellung Theklas im Robbenteich, die auf dem Antependium der Kathedrale von Tarragona erscheint (Kap.14 a, Abb.31), eingewirkt haben,
denn da verschwindet Thekla vom Unterleib an hinter einem Kranz von acht garstigen
Fabelrobben. Oft ist das Ungeheuer Cetus (Rumpf, S.112f.), das z.B. in den Jonas-
szenen figuriert, mit wolfsähnlichem Kopf versehen. Unter den Sternbildern können,
wie da gang und gäbe, der Große und der Kleine Hund und der Wolf (Panther) als halbe
Fischschlangenwesen gedacht und dargestellt sein; ein spätes Bild (halber Hund ohne
den Fischschwanz) bei F.Boll-C.Bezold-W.Gundel, Sternglaube und Sterndeutung, Darmstadt 1977⁷, Taf.XII, Abb.25 oben.

2 Nach Niketas (Migne PG 105, 325A) bekreuzigte sich Thekla vor ihrem Sprung ins Wasser.- Auf dem Öllämpchen, das Kaufmann in Oriens Christianus 2.Ser.,Bd.3,1913,S.108
mit fig.3 publiziert hat, sieht man über Thekla, die zwischen zwei Löwen betet, aber
außerhalb der Bildbegrenzung, ein aus Punkten gebildetes Kreuz.

3 So die Handschrift d in Acta Kap.34: "descendit s i c u t fulgur ignis de caelo in
aqua".

4 Einen literarischen Beleg für die Gleichung Lichtkreuz = Feuerblitz liefert das Martyrium des heiligen Theodotos 17 (Text bei E.Peterson, Frühkirche, Judentum und
Gnosis, Freiburg 1959, S.24, Anm.17).

5 Paulus hatte der Thekla das "Siegel" trotz ihrer Bitte noch vorenthalten (Acta Kap.25)

Aufbrausen gebracht, und über allem erstrahlt der zur Taufe gehörige
Lichtglanz[1]. - Mithin überliefert uns dies Relief zwei Thekla-Szenen.
Explizit sehen wir ein Bild von ihrem Lebensende und implizit noch die
nur wenig veränderte Vorlage, ein Bild von der Selbsttaufe im Robbenteich. Die Anlage der Komposition ist derart, daß wieder (wie schon bei
anderen Thekla-Darstellungen) Anlaß zu der Überlegung besteht, ob nicht
eine große Apsis- oder Lünettenausstattung als letztes Vorbild der er-
schlossenen Taufdarstellung in Frage kommt.

Vielleicht sind die spitzen Dreiecksformen zwischen dem Schurz Theklas und den anspringenden Tieren ein Anzeichen dafür, daß neben dem Bild von der Selbsttaufe hier auch noch ein Bild Theklas im Feuer, mitten zwischen den Flammen, als Vorlage gedient hat. Die alte, von uns abgelehnte Interpretation des Reliefs hätte insofern dann doch etwas Richtiges gesehen. Ps-Basilius (Dagron S.218/220 oben) erzählt, daß sich die Heilige vor dem Besteigen des Scheiterhaufens erst bekreuzigte und dann eine kreuzförmige Körperhaltung einnahm und daß die Flammen für sie "eher ein Gemach als einen Ofen" bildeten. Die Idee des "Gemaches" nimmt Ps-Basilius sehr wichtig, da auch Theklas Höhle in Seleukia bzw. die Stelle ihres Verschwindens ein "Gemach" war und als solches den Pilgern gezeigt wurde (vgl. Dagron S.442 b Register s.v. "chambre"). Thekla im langen Schurz inmitten der Flammen erscheint auch auf dem sehr späten Alabasterretabel von Tarragona (siehe unten Kap.14 b). Sonst vgl. die in Kap. 4 a genannten Bilder.

b) Das Relief mit dem Reiter (Abbildung: 24)

Nach Meinung der wenigen Interpreten dieses Stückes handelt es sich um
eine Darstellung des heiligen Sisinnios, der einen weiblichen Dämon be-
siegt[2]. Aber von den zahlreichen, meist auf kleinen Amuletten vorkommenden Sisinnios-Bildern[3] unterscheidet sich dieses doch so erheblich,
daß die vorgeschlagene Deutung nicht befriedigt. Der dahinsprengende
Reiter auf dem Relief hält in seiner Rechten ein Schwert, dessen Spitze
die kleine Gestalt vor den Hufen des Pferdes gerade noch nicht berührt;
dagegen hat Sisinnios sonst immer eine Lanze, mit der er, wie ein sieg-
reicher Imperator, den weiblichen Dämon durchbohrt oder niederhält. Als
Zeichen der Verlockung, der Wildheit und Verworfenheit hat der weibliche Dämon auf allen Sisinnios-Bildern langes, aufgelöstes Haar - aber
die kleine Gestalt auf dem Relief hat eine ordentliche, anständige Fri-
sur. Schließlich liegt auf den Sisinnios-Bildern das fast nackte, dä-
monische Weib immer so vor oder unter den Pferdehufen am Boden, daß es

1   Zum verbreiteten Motiv der Aufwallung des Taufwassers vgl. Peterson, a.a.O., S.202; sowie ebd. S.363 Register s.v. "Lichtanzünden, bei Taufe", "Lichterscheinung bei der Taufe", "Lichtglanz auf dem Jordan".

2   So der Katalog Pagan and Christian Egypt, Brooklyn-Museum 1941, S.27 Nr.58; J.Beckwith, Coptic Sculpture 300 - 1300, London 1963, S.55 Nr.122; H.Zaloscer, Die Kunst im christlichen Ägypten, München 1974, S.117 unten. S. der Nersessian (in: Art Bulletin 23, 1941, S.166) schlug vor, den Reiter im selben Sinne als Salomon (vgl. die folgende Anmerkung!) zu identifizieren.

3   Fresko in Kapelle 17 von Bawit (DACL II,1 247 fig.1285). Amulette: DACL XV,1 591-95; H.A.Winkler, Salomo und die Karina, Stuttgart 1931, S.162; E.Peterson, EIC ΘEOC, Göttingen 1926, mehrere Abbildungen auf S.94, 103, 106f, 113-115. Zur Sisinnios-Legende, die sich oft mit der Salomo-Legende überschneidet, vgl.

dem Heiligen zugewandt ist, um ihn etwa noch verlocken zu können. Auf
dem Relief jedoch kehrt sich die kleine Gestalt von dem Reiter ab, liegt
wohl auch noch nicht am Boden, sondern sinkt erst wie kraftlos zur Seite.
Eine weitere Besonderheit des Reliefs ist, daß der aggressive Reiter einen Tierskalp über Kopf und Schultern trägt. Die Darstellung ist ziemlich ungeschickt, aber doch eindeutig: der Oberkiefer des Tierkopfes
sitzt wie eine Haube über den Haaren des Reiters, die Vorderpfoten legen
sich wie ein Kragen um seinen Hals, und der Rest des Felles fliegt wegen
des schnellen Galopps hintennach, parallel zum linken Oberarm. Ob die
vor dem Angreifer zusammensinkende kleine Gestalt bekleidet oder unbe-
kleidet ist, weiß man auf den ersten Blick nicht recht zu sagen; auch
an dem Reiter ist ja nichts von Kleidung zu bemerken, wenn man von dem
Tierskalp absieht. Was als Gürtel des Reiters erscheinen könnte, ist
wohl eher der dann zwischen Daumen und Zeigefinger der linken Hand ge-
haltene Pferdezügel. Da sich an der kleinen, knaben- oder pagenhaft wir-
kenden Gestalt jedoch schön geformte Fesseln sehen lassen und sie ein
Band oder einen Gürtel über ihre Scham hält, soll sie wohl nackt sein.
Die Attribute der Personen lassen in dem Bild unschwer eine mythologi-
sche Szene erkennen: Herakles, der den Löwenskalp trägt und ansonsten
heroisch nackt sein dürfte, ereilt die Amazone und raubt ihr den Gürtel,
das Symbol der Virginität. Das Geschick der Amazone scheint besiegelt,
da sie kraftlos hinsinkt; sie wird vor dem Dolchstoß des Verfolgers
ihren Gürtel fahrenlassen. Kann man den Wechsel, daß Herakles hier ein
Schwert[1] anstelle der ihm sonst eigenen Keule handhabt, noch als situ-
ationsbedingt verstehen, so ist die Annäherung des Helden zu Pferde
allerdings sonderbar[2]. Überraschend ist auch die völlige Waffenlosig-
keit und Fragilität der so gar nicht kriegerischen Amazone. Diese be-
fremdlichen Züge der Darstellung sind nun nichts anderes als ein Indiz
für die totale Veränderung des Bildsinnes. Der Titel 'Herakles und die
Amazone' trifft auf den gemeinten Bildinhalt gar nicht mehr zu, sondern
bezeichnet nur noch das Vorbild oder die bloße Form[3], die der Relief-
bildner für geeignet befand, um nach diesem Schema eine Thekla-Szene

neben den genannten Büchern von Peterson (S.91-130) und Winkler die Artikel
'Sisinnios' und 'Salomon' im DACL XV,1 1497f bzw. 588-602, wo noch weitere
Literatur verzeichnet ist. Weiteres Material bei E.A.W.Budge, Amulets and Talis-
mans, New York 1961 (Nachdruck von: Amulets and Superstitions, Oxford 1930);
C.Bonner, Studies in Magical Amulets, Ann Arbor 1950; A.Delatte-Ph.Derchain,
Les intailles magiques gréco-égyptiennes, Paris 1964.

1   Herakles mit Schwert im Fußkampf gegen die Amazone erscheint auf frühen grie-
    chischen Darstellungen, vgl.F.Brommer, Herakles, Münster 1953, Taf.23a,b; 24a.

2   Das Umgekehrte, daß Herakles zu Fuß von hinten kommend die Amazone vom Pferde
    reißt, ist dagegen ein häufiger Darstellungstyp.

3   Vgl.die schwarzfigurigen Vasenbilder mit Darstellung des Amazonenkampfes (am
    Boden liegend eine Amazone, darüber zwei Reiter gegeneinander) bei D.von Both-
    mer, Amazons in Greek Art, Oxford 1957, Tafel 55,1-4 (Text S.80).

darzustellen. Die beiden Reliefs a und b gehören also nicht bloß äußer-
lich, sondern auch thematisch zusammen.

Der Text, der das Thekla-Bild mit dem Reiter erläutert, findet sich in
der pseudo-chrysostomischen Lobrede auf die Heilige[1]. Die gerade aus
Ikonium, wo man sie zur Heirat hatte zwingen wollen, glücklich entron-
nene Jungfrau ist unterwegs, um Paulus wiederzufinden. Da hetzt der Teu-
fel, der sie wandern sieht, ihren geprellten Verlobten Thamyris hinter-
her, "als einen Räuber ihrer Jungfrauenschaft in einsamer Gegend. Und
wie nun die Edle ihren Weg zurücklegte, spionierte der Verlobte, Hurenhengst der er war, hinterdrein und schrie ihr triumphierend zu: Gefangen! Ausweglose Enge ringsum; stark der Angreifer, gebrechlich die Über-
fallene! Wo in der Einsamkeit eine Zuflucht zum Unterschlupf? Die Jungfrau wandte sich zum Himmel" und sprach mit weinendem Aufschrei ein
Bittgebet: Herr[2], "rette mich, daß er nicht raube wie ein Löwe meine
Seele (Ps 7,3)... - und schleunig war die Hilfe, welche die Jungfrau
erfuhr. Denn während sie ganz plötzlich unsichtbar wurde, ging der Verlobte vondannen, Gewinner einzig und allein in dem Pferderennen der Unzucht". Thekla aber konnte ihrem himmlischen Bräutigam psallieren.

Wir heben die Entsprechungen von Text und Bild kurz hervor. In-
folge der Worte ἱππόπορνοσ ("Hurenhengst, Hurenbock") und ἱπποδρομία
("Pferderennen") erscheint der Verlobte Theklas auf dem Relief zu
Pferde[3]. Er naht von hinten und hat Thekla so gut wie ereilt; er wirkt
robust, sie sehr fragil. Die Enge und Ausweglosigkeit der einsamen Gegend wird auf dem Relief durch das Blattwerk, das die Personen umwuchert,
ausgedrückt. Thekla wendet ihr Gesicht in ohnmächtiger Betrübnis zum
Himmel. Die Kleinheit ihrer Gestalt deutet bereits ihr Verschwinden an.
Auf dem Gesicht des Verfolgers malt sich die wilde Freude, Thekla ereilt
zu haben; die Lippen sind geöffnet zu dem Schrei: Gefangen! Aber der erhobene Kopf zeigt, daß der Verfolger Thekla schon gar nicht mehr sieht;

1 Migne PG 50,745-48 (am Ende unvollständig); Fortsetzung und Schluß ediert von
   M.Aubineau, in: Analecta Bollandiana 93,1975,S.351f.

2 Soweit der Text bei Migne PG 50,748 unten. Das folgende aus den Analecta Bollandiana 93,1975,S.351.

3 Das sehr seltene Wort ἱππόπορνοσ "Hurenhengst, Hurenbock" kann auch heißen: solch
   eine Person zu Pferde (vgl.Liddell-Scott-Jones, A Greek English Lexicon, Oxford
   1940,835a "one on horseback"). Darum übersetzt E.Rolffs die ps-chrysostomische
   Stelle mit: "zu Pferde nachsetzend" (in E.Hennecke's Handbuch zu den neutestamentlichen Apokryphen, Tübingen 1904, S.377 oben). Aber n o t w e n d i g ist
   dieses Verständnis n i c h t . Es wird auch nicht von dem nachkommenden Wort
   ἱπποδρομία "Pferderennen" gefordert, das ja nur das vorherige Wort ἱππόπορνοσ
   rhetorisch wiederaufnimmt. Vgl. zu ἱππόπορνοσ noch Aubineau in Analecta Bollandiana 93,1975, S.351 mit Anm.1.

   Zum Pferderennen und Hippodrom vgl. noch unten S.77.

er wird also blindwütig vorüberpreschen. Schließlich ist sogar noch der
herakleische Löwenskalp des Reiters textgemäß, denn er entspricht dem
Aufschrei Theklas, "daß er nicht raube wie ein Löwe meine Seele".

Nachdem der Bildsinn entschlüsselt ist, liegt der inhaltliche Reich-
tum der Darstellung zutage. Gerade wie das andere Relief, so ist auch
dieses eine hervorragende Arbeit. Man kann freilich tadeln, die Vorlage
'Herakles und die Amazone' wirke noch zu stark nach: der Reiter sei hier
zu groß und stehe allzusehr im Mittelpunkt des Bildes, und es sei miß-
lich, die Hauptperson Thekla nur am Rande, so unscheinbar und verschwin-
dend klein zu sehen. Aber der Tadel hebt sich selbst auf und wird zu
Lob, da ja gerade dies die denkbar schwierige, bildnerische Aufgabe war:
das Verschwinden Theklas sichtbar darzustellen[1].
Da sich das koptische Relief mit den Worten des Ps-Chrysostomus so auf-
fallend gut erklären läßt, stellt sich wieder dieselbe Frage, wie schon
bei dem anderen Relief hinsichtlich der metaphrastischen Vita Theclae:
ist das Bild von dem zitierten Text geradezu abhängig? Aber auch hier
können wir keine sichere Antwort gewinnen, zumal wir weder den Verfasser
noch die genaue Entstehungszeit der ps-chrysostomischen Lobrede kennen[2].
Im übrigen wird die Frage zum Schluß auch weniger wichtig erscheinen.

Unter den Texten, die von Thekla handeln, nimmt diese Rede nach
Inhalt, Form und Tendenz zweifellos eine Sonderstellung ein. Wie es
scheint, verhält sich der Redner dem Bericht der Acta Theclae oder auch
dem größeren Corpus der Acta Pauli, also kurz: den Apokryphen gegenüber
ziemlich reserviert und vermeidet jedes nähere Eingehen auf die fabulösen

---

1   Vgl. wie das Verschwinden Daphnes vor ihrem Verfolger Apollo in einer römischen
    Skulptur dargestellt ist (S.Reinach, Répertoire de la Statuaire Grecque et Ro-
    maine II,1, Paris 1897, 397.8). D.Levi, Antioch Mosaic Pavements I, Princeton
    1947, p.214 beschreibt dieses Werk so: "It is a fragment of sculpture in the
    Lateran Museum...Only a bent arm remains from the figure of Apollo... trunk of a
    laurel tree. But at the foot of the trunk a diminutive girl, draped and looking
    upward toward the god, testifies to the sudden miracle, whereby the nymph, lesse-
    ning to diminutive size, is ready to disappear into the bosom of Earth, who has
    listened to her pleas".

2   Vgl.Aubineau in Analecta Bollandiana 93,1975,S.356 über diesen Panegyrikus: "il
    est présentement impossible de percer son anonymat et même de le dater".
    Wir zeigen im folgenden, daß der Prediger wahrscheinlich ein Antiochener ist,
    und welcher Terminus post quem in Frage kommt. Danach sollte sich auch der Name
    des Redners mit etwas Glück noch finden lassen, zumal der Stil der Rede und die
    Gedanken ausgesprochen eigenwillig sind. Diese Eigenwilligkeit hat hinsichtlich
    des Stils schon Lenain de Tillemont festgestellt (vgl.das Zitat bei Aubineau,
    a.a.O.,S.356 Mitte). Den Inhalt der schönen Peroratio, die den Hörern Askese
    oder besser Herzensreinheit nahelegt, und zwar so, daß ein jeder "nach seinem
    Stande" verfahren soll, hat Aubineau so beurteilt (S.353): "Voilà une conclusion
    très modérée, qu'on ne trouve pas souvent formulée de façon aussi nuancée dans
    la littérature chrétienne". Wir behalten uns die Identifizierung des Predigers vor.

Nachrichten. Wo Anspielungen auf die Acta vorkommen, haben sie einen
rationalistischen Anhauch[1]. Der Redner macht nur die eine Konzession,
daß er am Ende der Rede die oben zitierte Geschichte von der Verfolgung
Theklas durch ihren Verlobten erzählt. Auf diese Geschichte kann er sich
einlassen, da sie in den Apokryphen ja gar nicht vorkommt, und er muß
sich sogar auf sie einlassen, da sie anscheinend der Hieros Logos, die
lokale Legende zu dem Ort ist, an dem die Jahresfeier Theklas mit dieser
Lobrede stattfindet. Es ist sehr bemerkenswert, wie der Redner die Legende am Schluß, also am Höhepunkt seines Panegyrikus einleitet:
"Da aber auch an den Wegen Standbilder/Statuen (ἀνδριάντασ) für die
Märtyrerin um der Jungfräulichkeit willen (d.h.für Thekla) erstehen
sollten[2], widerfährt der Jungfrau ungefähr derartige Prüfung/Attacke

---

1   Der brennende Scheiterhaufen in Ikonium (Acta Kap.22) wird von dem Redner nicht
     erwähnt; dafür gibt er zu bedenken, welch schönen Sieg die Jungfrau Thekla bei
     dem Kampf gegen die hitzige Natur der Jugend oder gegen das innere Feuer errang,
     das sonst immer nach dem Gegenteil von Askese flammt (PG50,746. Übrigens schweigt
     auch das Menologium des Kaisers Basilius II. von dem Flammenmartyrium Theklas
     in Ikonium, obwohl es die Herkunft der Heiligen aus dieser Stadt erwähnt).
     Auf Theklas Tierkämpfe geht der Prediger nirgendwo ein. Er hilft sich mit dem
     Trick, daß er den häuslichen und familiären Ärger, den Theklas Absicht, Jung-
     frau zu bleiben, hervorrief, als ein "großes Martyrium vor dem (eigentlichen)
     Martyrium" bezeichnet und dramatisch ausmalt (PG 50,745). Der ganze Mittelteil
     der auffallend kurzen Rede, die insgesamt bloß ca. 3 und 1/2 Migne Spalten lang
     ist, handelt gar nicht von Thekla, sondern beschreibt in teilweise witziger Art
     die Vorteile der Jungfräulichkeit (PG 50,747 Z.5-748 Z.11). Thekla " s a h die
     Schönheit des (himmlischen) Bräutigams, und ließ sich von dem Anblick nicht ab-
     bringen (PG 50,748 Z.12-13)", aber diese Schau versteht sich als eine mit dem
     inneren Auge - kein Wort von der Vision, die Thekla nach ihrer Verurteilung in
     Ikonium hatte (Acta Kap.21) ! Nicht daß sie einen Paulus-Christus sah (Acta
     Kap.21), sondern "sie bildete sich Paulus ein/ stellte sich ihn vor" (PG 50,
     748, Z.21). "Die Richter schreckten mit Strafen", aber über deren Ausführungen
     (Acta Kap.22) bleibt der Redner schweigsam: Thekla setzte sich über alles das
     "gedanklich" hinweg (PG 50,748 Z.25f.). Schließlich findet sich Thekla aus
     "der Gerichtssituation entlassen" (Z.30), und so ist die wunderbare Löschung
     des Scheiterhaufens für den Redner schon passé.
     Diese ganze Kritik an den Acta Theclae und ihren Wundern ist auf geniale Weise
     verhüllt, denn der rhetorische Wortgebrauch läßt alle Hörer, also die Acta-Freun-
     de und glühenden Thekla-Narren geradeso wie die gebildeten Thekla-Verächter,
     hören, was sie jeweils hören, bzw.assoziieren wollen. Und: die Rede ist stili-
     stisch so gelungen und kurzweilig, daß niemand auf den Gedanken kommt, der Red-
     ner lasse es an etwas fehlen. An Thekla selbst übt dieser, soweit es irgend
     geht, aufrechte und auch dadurch glänzende Mann keine Kritik; Thekla ist eine
     selige Märtyrerin (PG 50,745; 748 Z.12 und 31; Analecta Bollandiana 93,1975,
     S.351 Z.9), eine vorbildliche, heilige Jungfrau (746).

2   Im Griechischen steht dies "sollten" am Satzbeginn (Ὥσ δὲ ἔδει κτλ.PG 50,748
     Z.28). Ungern bequemt sich der Redner nun zu dem Wunderbericht, denn auch ihm
     erscheint "etwas derartiges als Prüfung/Attacke". Das eigentliche Wunder wird
     am Schluß lakonisch kurz und unanschaulich mitgeteilt: Thekla "ward plötzlich
     unsichtbar" (Analecta Bollandiana S.351 Z.4). Was sie, die "wohl" - man beachte
     die rhetorisch ambivalente Stellung des Wortes im Griechischen - zu ihrem himm-
     lischen "Bräutigam getreten war, psallierte : 'Gott rettet die geraden Herzens
     sind'"(Ps 7,11;Analecta Boll.S.351 Z.5-7), das gilt zugleich für den Redner. Die
     Worte, die er in der Peroratio als Mahnung an seine Hörer richtet: "für das
     Fleisch wollen wir gegen das Fleisch uns rüsten", können wir in einem ganz

(πειρατήριον): (dann folgt der Bericht von dem Überfall durch den
Verlobten)". Die Erwähnung der"Standbilder" läßt daran denken, daß
heidnische Figuren, die in einem Temenos "am Wege" aufgestellt waren,
den Anlaß zur Entstehung der alsdann erzählten, lokalen Theklalegende
gegeben haben könnten. Die Statuen erfuhren also eine Interpretatio
christiana[1]. Beispielsweise, so überlegen wir, mag da eine Replik der

anderen Sinn, als sie gesagt sind, werten, nämlich als hermeneutischen Schlüssel
für die Rede und die ganze Situation, in der sich der Redner befindet.

1 Schon der Anfang der Rede nimmt auf "Bilder" Bezug, aber da sind es vorerst noch
Bilder des "Gedächtnisses", die "in der Erinnerung liegen" (4x kommt hier das
Wort "Bild" vor, und ebenso 4x "Gedächtnis/Erinnerung"; PG 50,745). Daß jedoch
der Redebeginn und der Schluß und Höhepunkt der Rede, wo die"Statuen" erwähnt
werden (748 unten), irgendwie aufeinander abgestimmt sind, belegt das hier wie
da vorkommende Verbum "aufstellen/errichten". Für den Prediger ist es ganz und
gar bezeichnend, daß er seine Worte primär und in extenso durch das "Gedanken-
bild" motiviert wissen will (745), während er später (748) die "Statuen" nur
höchst flüchtig erwähnt.
Der Redeanfang lautet übersetzt:
"Als schöne Bilder der Heiligen (pl.) hat uns die Gnade des heiligen Geistes
deren jährliche Gedächtnisse aufgerichtet, und so bewahrt sie die durch die Zeit
in Vergessenheit kommenden Taten beständig neu. Denn ein jeder begegnet der Erinnerung gleich als einem Bilde und erblickt wie in einem Spiegel die Schönheit
der Taten und sieht die Taten in dem Bilde der Erinnerung inneliegen. Auch ich
persönlich vermeine heute jene selige Jungfrau (=Thekla) als wie in einem Spiegel zu schauen, da sie gleichsam auf einem Bild des Gedächtnisses dasteht und
hier den Kranz gegen Sinnenlust, dort den gegen Gefahren erhebt, und hier die
Jungfräulichkeit, dort das Martyrium dem Weltenherrscher darbringt".
Das zuletzt zweimal verwendete Wortpaar τῇ μὲν -τῇ δέ klingt so bestimmt, daß
an eine konkrete Veranlassung zu denken ist. Wir dürfen uns die Situation aber
kaum so vorstellen, daß der Prediger zwischen zwei Statuen oder Figuralgruppen
redet. Er hält seine Lobrede vielmehr wohl in einem Memoriálbau (daher die Be-
tonung des "Gedächtnisses"), iṅ dessen Nähe oder vor dessen Tür die "Statuen"
stehen. Innen aber sind dann andere "Bilder" anzunehmen, wahrscheinlich nur ein
einziges Apsis-"bild" (denn nach dem anfänglichen Plural wird 3x der Singular
"Bild" verwendet) aus Mosaik (worin man "wie in einem Spiegel sieht"). "Auf"
diesem "Bild des Gedächtnisses steht" dann die heilige Thekla in der Haltung einer Orans, denn "mit der einen Hand"(!) "erhebt" sie den "Kranz" der Askese,
"mit der anderen Hand" einen zweiten, in den verschiedenen Martyriums-Szenen
errungenen "Kranz". Daß Thekla zwei Kränze, einen links und einen rechts, "erhebt", zeigt an, daß sie 'doppelten Lohn' erworben und bekommen hat (vgl.Acta
Kap.43, Variante von c auf S.270 ed.Lipsius Z.18f: duplicem virginitatis et
martyrii coronam...accepit a Domino).
Über Thekla ist dann entweder noch eine Büste des "Weltenherrschers" oder besser
bloß dessen Manus divina zu denken, denn der Prediger erwähnt später "die aus
dem Himmel gegebene rechte" Hand des "Herrschers Christus" (PG 50,747 Z.1 mit
der Lesart, die Aubineau in Analecta Boll.93,1975,S.355 nachträgt). Dieser Hand
streckt dann Thekla ihre beiden Kränze "darbringend" entgegen. Möglicherweise
sind zu beiden Seiten Theklas noch brennende Feuer anzunehmen, denn der Redner
malt (in PG 50,746) das Feuermotiv eingehend aus; er spricht von einem "ewi-
gen (Belagerungs-)ring", worin die Vorstellungen schlechter Phantasien der Asketin wohl Tag und Nacht zugesetzt haben, spricht von einer "Verbindung Feuers
zum Feuer" und meint, die asketische Entschlossenheit der Heiligen sei "feuriger"
gewesen als das "Feuer" ihrer hitzigen, jugendlichen Natur.
Zum Schema dieser Apsiskomposition vgl. zunächst das Bild der betenden Thekla
zwischen zwei Feuern (Kap.4a). Vielleicht sind die Felsspitzen, die die Beterin
Thekla auf dem Bild des Menologium des Basilius umringen (vgl.S.67, Anm. 2),

berühmten, uns durch Kopien bekannten hellenistischen Gruppe des 'Achill
mit der sterbenden Penthesilea' gestanden haben (Abbildung: 25)[1]. Der,
abgesehen von seinem Waffengurt nackte, von hinten kommende und Penthesilea ergreifende Achill konnte dann als brünstiger Verfolger aufgefaßt
werden, und die sterbende Amazone mit ihrem erhobenen, rechten Unterarm
konnte für die dahinsinkende, aber noch ein Notgebet sprechende Thekla
gelten. Das Motiv des Verschwindens der Heiligen vor ihrem wilden Verlobten wäre dann ein von den Christen frei hinzuerfundenes Happy-end.
Weit besser und treffender ist jedoch die Annahme, es sei eine der Achill-
gruppe konzeptionell verwandte Statuengruppe von 'Apoll und Daphne' gewesen[2], die so umgedeutet wurde, denn in diesem Fall kann das Motiv des
Verschwindens einfach von Daphne auf Thekla übergehen. Die Interpretatio
christiana besteht dann vordergründig in nicht mehr als einem Subjekt-
wechsel. Diese Gruppe von 'Apoll und Daphne' (auf einem einzigen oder
auf zwei Sockeln) müßte man sich gemäß dem ersten Typ der Müllerschen

ikonographische Reminiszenzen an spitz brennende Feuer; Grabar, Martyrium II,
S.107, Anm.2 hat gerade auch in diesem Bild des Menologiums den Reflex einer
Apsiskomposition sehen wollen. Ansonsten vgl. Ch.Ihm, Die Programme der christlichen Apsismalerei, Wiesbaden 1960, Tafel XXVI,3 und XXVII,1 (Rom, Oratorium
der heiligen Felicitas) mit Kommentar S.147f; Tafel XXIII (Rom, S.Venanzio in
Laterano) mit Kommentar S.144f; Tafel XXVI,1 und 2 (Rom, S.Agnese und S.Eufe-
mia) mit Kommentaren S.141f bzw.S.156; A.Grabar, Martyrium II, S.105ff. Für die
beiden von der Thekla-Orans "hochgehaltenen" und so "dargebrachten" Kränze haben
wir keine ganz genaue Parallele. Doch können wir diesen Darstellungstyp sehr sicher postulieren, da die Worte des Ps-Chrysostomus eindeutig sind. Einen Kranz-
bringer, der mit ausgestreckten und leicht erhobenen Händen, also wie ein Orans,
dasteht und links wie rechts je einen Kranz in der Hand hält, um andere dargestellte Personen zu bekränzen, sieht man auf einigen Goldglasböden (zwei Beispiele bei K.Baus, Der Kranz in Antike und Christentum, Bonn 1940/1965, Tafel
5,1.2; sieben Beispiele bei F.Zanchi Roppo, Vetri paleocristiani a figure d'oro
conservati in Italia, Bologna 1969, Katalog Nr.23,34,46,160,197,211 und 258 jeweils mit Abbildung).Im Römisch-Germanischen Zentral-Museum in Mainz gibt es ein
koptisches Relief, das die Büste eines solchen Kranz-(Dar)bringers zeigt, dessen
Arme, wenn wir uns recht erinnern, sehr deutlich nach oben hin erhoben sind.
Über die Datierung dieses Apsis-Mosaiks wird sich erst etwas sagen lassen, wenn
die Zeit des Predigers festgestellt ist. Auch die Identifizierung der Kirche lassen wir offen; vgl. jedoch S.78, sowie die Liste der Kirchen in Antiochia und
Daphne bei G.Downey, A History of Antioch in Syria, Princeton 1961, Index S.741b
bis 742a (natürlich hat es noch viel mehr Kirchen in und um Antiochien gegeben,
als quellenmäßig belegt sind). Ein wichtiger Hinweis liegt wohl noch darin, daß
der Prediger neben Thekla vergleichend "jenen Märtyrer" erwähnt, der den "Tieren" oder "Qualen" ausgesetzt war (PG 50,746, Z.9-10 von unten). Hat "jener
Märtyrer" die Kirche, in der Ps-Chrysostomus seine Rede hält, mit Thekla gemein-
sam, oder teilt er nur das Festdatum mit ihr?

1 Vgl.E.Berger, Der neue Amazonenkopf im Basler Antikenmuseum in: Gestalt und Geschichte, Festschrift K.Schefold 1965, Basel 1967,S.61-75 (unsere Abbildung =
   Bergers Zeichnung Abb.1, S.71, die einen Eindruck der rekonstruierten Gruppe zu
   geben versucht). Die älteren Rekonstruktionen der Gruppe sind als überholt anzusehen (W.Helbig, Führer durch die öffentlichen Sammlungen klassischer Altertümer in Rom, Bd.II⁴, Tübingen 1966, S.495f Nr.1713 mit Abb.; M.Bieber, The Sculpture of the Hellenistic Age, New York 1955, fig.279).

2 Vgl. die 'Apoll-und-Daphne'-Bilder bei S.Reinach, Répertoire de Peintures Grecques
   et Romaines, Paris 1922, S.26 Nr.1,5-7.

Klassifikation vorstellen[1]: also "Daphne in rein menschlicher Gestalt
von Kopf bis zu Füssen... Daphne hat zu fliehen gesucht und ist ermat-
tet ins Knie gestürzt; Apollo folgt ihr auf dem Fuss oder hat sie schon
erreicht und umfasst sie. Vielfach deutet nichts am Körper der Daphne
auf die kommende Verwandlung" in einen Lorbeerbaum hin, und der nackte
Apoll hat durchaus nicht überall die Leier, sondern als der Jäger öfters
Pfeil und Bogen zur Hand. Eine derartige Gruppe von 'Apoll und Daphne'[2]
ist in einem Temenos "am Wege" auch eher vorstellbar als die Gruppe von
'Achill und Penthesilea'. So wäre Thekla mit ihrer von Ps-Chrysostomus
erzählten Legende in dem Temenos "am Wege" irgendwo zwischen Ikonium
und Antiochia[3] die Kultnachfolgerin der Nymphe Daphne oder einer ein-
heimisch-kleinasiatischen Göttin, die unter der Gestalt Daphnes verehrt wurde[4]. Über der Statuengruppe hätten sich Antike und Christentum
die Hand gereicht. Unsere Hypothese gewinnt an Wahrscheinlichkeit, ja
läßt sich sogar noch erheblich verfeinern, wenn wir im folgenden ein
paar feste Punkte, die zum Vergleich dienen können, mit ins Auge fassen.
Daß man christlicherseits heidnische Monumente uminterpretierte und sie
sich aneignete, läßt sich noch mehrfach[5] belegen; also wäre die Umdeutung

1   V.Müller, Die Typen der Daphnedarstellungen, in: RM 44,1929,S.59-86; Zitat S.59f.
     D.Levi, Antioch Mosaic Pavements vol.I, Princeton 1947, S.211-214 (über das
     Apoll-und-Daphne-Mosaik im'Haus des Menander').

2   Erhalten ist keine. Die Statue der Daphne Borghese (Müller,a.a.O.Tafel 11) ge-
     hört zum zweiten Typ der Müller'schen Klassifikation, wo die Beine Daphnes be-
     reits zum Baumstamm werden und Blätter sprießen lassen. Ein Münzenbild der Stadt
     Apollonia (Müller S.61, Abb.2) könnte etwa eine Statuengruppe reflektieren.
     Vgl. oben S.72, Anm.1 über eine römische Skulptur, sowie die Anthologia Latina
     I,172 ed. Riese.

3   Bei dem Prediger wird weder der eine noch der andere Ortsname erwähnt. Aber es
     ist ganz klar, daß der Redner sich die Heilige in einem Lebensabschnitt denkt,
     wo die Drangsale von Ikonium vorbei und die Kämpfe, die in Antiochia folgen sol-
     len, noch nicht ausgestanden sind. Dank dieser glücklich gewählten Interims-Per-
     spektive kann der Prediger die Masse der apokryphen Nachrichten über Thekla ein-
     fach ignorieren. Er muß dann nur noch die Legende vom Überfall durch den Verlob-
     ten berücksichtigen, die er ja ohnehin nicht umgehen kann.

4   Vgl.z.B.Müller,a.a.O.,S.72, Abb.9: Münze aus Myra.

5   Das bekannteste, meistdiskutierte Beispiel ist jene hochgesockelte Erzbildgruppe
     von Cäsarea Philippi oder Paneas, die Eusebius in seiner Kirchengeschichte (Buch
     VII,Kap.18) beschreibt, wie er sie selber gesehen hat. Diese Gruppe, die wohl
     den Asklepius und eine ihn verehrende, darum vor ihm, dem chthonischen Gott,
     kniende (und geheilte ?) Frau zeigte, war von der Stadtbevölkerung in ein Bild
     Jesu mit der Heilung suchenden Blutflüssigen umgedeutet worden. (Eine Wiedergabe
     der Bildgruppe bietet möglicherweise der Sarkophag Lat. 174 = Repertorium Nr. 677
     auf seiner rechten Schmalseite, vgl. H.Leclercq, Manuel d'Archéologie chrétienne
     II, Paris 1907, S. 249 f).

     Ein anderer Fall ist die dem altrömischen Schwurgott Semo Sancus gesetzte Weihin-
     inschrift in Rom, die dann mehreren Kirchenvätern als ein Dokument simonianischer
     Ketzerei und Hybris galt, da sie meinten, mit den Worten "Semoni Sanco Deo etc"
     solle der Erzketzer Simon Magus vergöttlicht werden (vgl.K.Rudolph, Die Gnosis,
     Leipzig 1977, S.313 mit näheren Angaben und einer Abbildung des Steines).

von 'Apoll und Daphne' in 'Thekla und Thamyris' kein Einzelfall. Eine
Christianisierung speziell von 'Apoll und Daphne' scheint z.B. auf einem koptischen Stoff, dem sogenannten 'Schal der Sabina' im Louvre vor-
zukommen, denn Daphne streckt hier ihrem Verfolger ein apotropäisches
Handkreuz entgegen (Abbildung: 26)[1]. Thekla als kultische Nachfolgerin
einer heidnischen Göttin begegnet uns sicher in Seleukia, wo sie die
Athene-Artemis (Kybele) abgelöst hat; auch eine Quellnymphe könnte sie
da verdrängt haben[2]. Als wir über die Grotte von Daphne[3] sprachen, ver-
muteten wir, daß Thekla auch dort ein heidnisches Erbe angetreten habe;
für die Lichterprozession ließ es sich belegen. Wir wagen uns mit unserer Hypothese nun so weit, daß wir die von Ps-Chrysostomus erwähnten
"Statuen am Wege" eben in diesem antiochenischen Daphne lokalisieren
(so daß der Prediger ein Antiochener wäre), denn dort dürfen wir am
allerersten mit einer Statuengruppe von 'Apoll und Daphne' rechnen, wie
man denn den Lorbeerbaum, in den Daphne verwandelt wurde, eben hier zu
zeigen wußte[4]. Die Worte des Ps-Chrysostomus, daß der Verfolger Theklas,
der das Nachsehen hatte, "Gewinner einzig und allein in dem Pferderennen (ἱπποδρομίαν) der Unzucht" war[5], erweisen sich dann als eine Anspielung dieses ingeniösen Rhetors auf das in Daphne liegende, große
Stadion oder Hippodrom, in dem die Olympischen Spiele von Antiochia statt-
fanden[6]. Christliche Pilger mußten sonach in Daphne bei Antiochia verschiedene Thekla-Erinnerungen finden: die Höhle[7] und die Statuengruppe, dazu

1   P.du Bourguet, Die Kopten, Baden-Baden 1967, Bildanhang Abb.7 (danach unsere
     Abb. 26) mit Erläuterungen auf S.47,88,138. Das Bild folgt insofern der antio-
     chenischen Variante der Daphne-Erzählung, als Apoll sich hier anschickt, seine
     Pfeile verärgert in den Boden zu schießen (vgl.G.Downey, A History of Antioch
     in Syria, Princeton 1961,S.83). Zur Christianisierung von 'Apoll und Daphne'
     vgl. noch unten S. 79 ,Anm. 4.

2   Vgl.oben S.57 mit Anm.2 und S.66 Anm.2.

3   Vgl.oben S.15 und 19 f (Kap.3).

4   Eustathius, Comment.in Dionysium Periegeten 916 (in: Geographi Graeci Minores
     ed.C.Müller vol.II, Paris 1861, p.378,39-44): "Arrian aber schreibt darüber so:
     In Daphne, dem Ort bei Antiochia, wird ein heiliger Hain Apollons und jener Lor-
     beerbaum selbst gezeigt, der -wie einige sagen- aus der Erde entsproß hinter/
     wegen Daphne, der Tochter Ladons, die sich auf der Flucht vor Apoll und seiner
     Liebe das Verschwinden (ἀφανισμόν) unter die Erde erbat - und ihrer Gebets-
     wünsche teilhaftig wurde".

5   Analecta Bollandiana 93,1975,S.351 Z.5.

6   Zu diesem Stadion vgl.G.Downey, A History of Antioch in Syria, Princeton 1961,
     S.649f.

7   Vgl.oben S. 15 . Der große Baum, der auf der Malerei der Exoduskapelle von El-
     Bagawat so auffällig über der Höhle wächst, ist, wie wir nun hier, nicht zuletzt
     wegen der Anmerkung 4, vermuten dürfen, vielleicht geradezu der uralte, eigent-
     liche Daphne-Lorbeerbaum selbst. Auch er ist dann noch in die Liste der 'christ-
     lichen' Sehenswürdigkeiten von Daphne aufzunehmen.

vermutlich auch eine Kapelle oder Kirche[1] und natürlich den Daphne-Wald,
durch dessen "ausweglose Enge" und "Einsamkeit" Thekla wanderte. Das
reiche Blattwerk auf unserem Relief b ist also eine Darstellung des
Daphne-Waldes (und nicht bloß eine ziemlich beliebige Füllung der Ek-
ken mit dem Zweck, dieses Relief dem anderen Relief a möglichst anzu-
gleichen!). Wird die von Ps-Chrysostomus erzählte Legende, daß Thekla
von ihrem Verlobten überfallen wurde, nach allen genannten Argumenten
im antiochenischen Daphne lokalisiert, so erklärt sich auch die schon
oft konstatierte Ähnlichkeit der Geschichte zu Kap.25 der Acta Theclae[2],
wo von einer gewaltsamen Annäherung des Syriarchen[3] oder Syrers Alexander an Thekla erzählt wird, deren sich die Heilige erwehren mußte, kaum
daß sie die Stadt Antiochia betreten hatte. Die Antiochener haben einfach und unwillkürlich die Geschichte aus Acta Kap.25, die sie bestens
kannten, zum Modell genommen, als sie für die Statuengruppe in Daphne
eine Interpretatio christiana ersannen. Die Legende bei Ps-Chrysostomus
ist demnach gegenüber den Acta Theclae Kap.25 sekundär, ist Dublette;
die Abweichungen von dem literarischen Vorbild sind im genauen Sinn des
Wortes ortsbedingt. Das Aufkommen der Legende kann man in der zweiten
Hälfte des 4.Jahrhunderts vermuten. Zur Zeit des Kaisers Julian, der
sich noch sehr um eine Restauration mühte, lag der heidnische Kultus in
Daphne schon fast ganz darnieder[4]. Bereits vor dem Jahr 354 hatte man
in Daphne dicht bei dem 362 niedergebrannten Tempel des Apollon das Oratorium des Märtyrers Babylas erbaut, dessen heilige Gegenwart das heidnische Tempelorakel alsbald verstummen ließ[5]. Da die Reliquien des Babylas aber nicht lange in diesem Oratorium verblieben, sondern unter
Julian 362 von da wieder in die Stadt Antiochia geschafft wurden und
gegen 380 in die Babylas-Kirche jenseits des Orontes kamen[6], läßt sich
denken, daß auch die kultische Bestimmung des Baues sich noch modifizierte.
Vielleicht darf man in ihm dann eine Theklakultstätte annehmen. Jedenfalls
muß die Thekla-Verehrung in Daphne in nächster Nähe zu dem heiligen Hain,
und das heißt eben: zum alten Apollo-Tempel, und nahe dem Stadion lokalisiert werden. Endgültig konnte das alte Apolloheiligtum in die Hände der

1 Vgl.oben S.74 Anm. 1 und unten hier auf dieser Seite.

2 Vgl.E.Rolffs in E.Hennecke's Handbuch zu den neutestamentlichen Apokryphen, Tübingen 1904,S.376f; Schneemelcher in Apokr.II, S.229 mit Anm.1; Aubineau in Analecta Bollandiana 93,1975, S.354f (mit weiterer Literatur).

3 Vgl. unten S.79 .

4 Vgl.G.Downey, Ancient Antioch, Princeton 1963, S.167.

5 Vgl.G.Downey, A History of Antioch in Syria, Princeton 1961, S.364.

6 Vgl.G.Downey, The Shrines of St.Babylas at Antioch and Daphne, in: Antioch on-the-
   Orontes II: the excavations 1933-36, Princeton 1938, S.45-48.

Christen wohl erst nach den theodosianischen Edikten von 391 und 392,
die den heidnischen Kultus unter Strafe stellten (Cod.Theod.16,10,10.12),
übergehen. Doch gibt es keine Nachricht, die von offizieller Aneignung
spräche.

Die Stelle, wo Thekla vor ihrem Verlobten errettet wurde, ist als 'Station' auf dem Weg der Heiligen zu ihrem antiochenischen Tierkampf-Mar-
tyrium anzusehen und ist für die Thekla-Verehrer ein Ort der Andacht gewesen. Die Höhle oder Wohngruft in Daphne, in der Paulus betete (Acta
Kap.23) und wo Thekla nach allen ihren Prüfungen auch noch einmal die
Knie beugte und zu Gott weinte (Acta Kap.43 G M), ist ebenso eine
'Station'[1], die dann vielleicht zusammen mit dem Ort der pseudo-chrysostomischen Legende eine einzige Station doppelten Angedenkens bildete.
Eine dritte 'Station' bezeugt uns noch die Vita Theclae des Ps-Basilius[2]
an der Stelle, wo die nach Antiochia gekommene Thekla den dreisten Syriarchen Alexander abwehrte, ihm nämlich den Mantel zerriß, ihm den Kranz
vom Kopfe nahm und ihn so der Lächerlichkeit preisgab (Acta Kap.26).
Ps-Basilius schreibt: "... an welchem Orte auch ein der Jungfrau würdi-
ger Temenos eingerichtet ist und noch bis heute seine Eigenart/Bauge-
stalt wahrt und von diesem Sieg laut kündet und Zeugnis ablegt. Denn
ein jeder, der herzutritt und den Ort sowohl als den Tempel schaut,
kommt sogleich auch zur Erinnerung der damaligen Ereignisse,wie er auch
wiederum zu schauen vermeint die Thekla als Siegerin und den Alexander
nackt, unterlegen und verlacht". Die letzte Wendung, daß der Betrachter
"wiederum zu schauen vermeint", verweist wieder auf eine bildliche Darstellung bei oder an dem "Tempel", der zu einer Theklastätte wurde[3].
Wir vermuten, diese Thekla-Szene könne abermals aus einem Apoll-und-
Daphne-Bild herausgelesen sein[4].

1   Vgl.oben S. 19 f .

2   Vita I,16 (Dagron, S.232).

3   Aufgrund der zitierten Worte des Ps-Basilius, das Heiligtum "bewahre noch bis
     heute seine Baugestalt", muß man annehmen, daß die betreffende Anlage älteren
     Datums war. Über Tempel in Antiochia vgl.G.Downey, A History of Antioch in Sy-
     ria, Princeton 1961, Index S.750b; Tempel in Daphne ebd.743a. Unsere Kenntnisse
     sind aber sehr lückenhaft.

4   Den Syriarchen mit Kranz und Chlamys darf man sich wohl gerade so vorstellen,
     wie den Apoll auf dem 'Apoll-und-Daphne'-Mosaik, das im 'Hause des Menander' im
     antiochenischen Daphne gefunden wurde (D.Levi, Antioch Mosaic Pavements II,
     Princeton 1947,Tafel XLVII,b; G.Downey, Ancient Antioch, Princeton 1963, Abb.31;
     unsere Abbildung 27). Das Mosaik zeigt Apoll mit Diadem; über seiner Schulter
     sieht man das Ende des Köchers. Wegen der wilden Verfolgungsjagd auf Daphne ist
     die Kleidung Apolls, seine purpurne Chlamys, sehr unordentlich, und so erscheint
     ein Teil seines Oberkörpers unbedeckt.
     Man muß nun berücksichtigen, daß in den Acta Theclae Kap.26 von "dem Syriarchen
     Alexander" ursprünglich gar nicht die Rede war. Der älteste und einfachste Text,
     der von Lipsius p.253 in den Apparat verbannt ist, spricht bloß von "einem"
     anonymen "Syrer" (zur Textkritik vgl.Hennecke's Handbuch zu den neutestament-

Die drei aufgezählten 'Stationen'[1] sind für den Aufschwung und Sieges-
lauf bezeichnend, den die Thekla-Verehrung in Antiochia bis zur Mitte
des 5.Jahrhunderts (also bis zur Zeit des Ps-Basilius) hat nehmen können. Zu derselben Zeit blüht auch der Theklakult im Heiligtum von Seleukia mächtig empor. Daß von Station zu Station auf den Spuren Theklas
dann Prozessionen gingen, hat uns schon das Bild der Jungfrauenprozes-
sion gezeigt, das wir in Kap.3 (S.17 ff) besprachen[2].

lichen Apokryphen, Tübingen 1904,S.375 unten). Hängt vielleicht das Avancement
des "Syrers" zum "Syriarchen Alexander", so üblich eine derartige Motivsteige-
rung in legendarischer Literatur auch ist, bereits mit der Anschauung eines
Bildes zusammen, wie es Ps-Basilius erwähnt und wie wir es in dem Mosaik des
'Menanderhauses' haben, so daß wir den "Syriarchen" dann speziell der antioche-
nischen Tradition der Acta Theclae verdanken würden? Die entblößte Seite des
Syriarchen oder eigentlich des Apoll auf dem Mosaikbild ließe sich durch die
Gegenwehr der Daphne-Thekla erklären. Den Namen "Alexander" trugen verschiedene
prominente Größen der antiochenischen Vergangenheit (vgl.G.Downey, A History
of Antioch in Syria, Princeton 1961, Index, S.739).
Das Mosaik im 'Haus des Menander' zeigt uns freilich eine schwer umzudeutende
Daphne, denn sie hat sich hier schon halb in einen Baum verwandelt. Nimmt man
jedoch ein zweites antiochenisches Mosaik hinzu (D.Levi, Antioch Mosaic Pavements II,Tafel XXXVIII,c; unsere Abb.28), so läßt sich der Übergang von Daphne
zu Thekla, der man in diesem Falle nur ein wenig mehr Kleidung wünschen möchte,
leicht gewinnen. Levi (Bd.I,S.181f) sieht zwar in dem Bild mit guten Gründen
nur eine Nymphe, der ein Satyr nachstellt, aber er räumt die enge Verwandtschaft
zu dem Thema 'Apoll und Daphne' ein. Links ist ja auch der Baum dargestellt.
Man sieht die Nymphe resp.Daphne ihren Verfolger zurückstoßen und in ihrer
Rechten einen umkränzten Tamburin halten, ein rundes Objekt, das in dieser oder
ähnlicher Gestalt als der Kranz aufgefaßt werden könnte, den die Verfolgte ihrem
lästigen Verehrer vom Kopfe nahm. Vgl. noch die sehr ähnliche Darstellung auf
einem Mosaik in Timgad (S.Germain, Les mosaiques de Timgad, Paris 1969, S.77-79:
'Jupiter und Antiope', pl.XXXIV,96 -danach unsere Abb.:29).
So kann man sich das Bild, das bei Ps-Basilius umgedeutet erscheint, als eine
'Apoll-und-Daphne'-Darstellung und zwar etwa als einen Mischtyp aus den beiden
erhaltenen antiochenischen Mosaiken denken.

1   Daß die 'Station' bei den "Statuen" des Ps-Chrysostomus und die 'Station' bei
     der Wohngruft des Onesiphorus, wo Paulus und Thekla beteten (Acta Theclae), in
     eine einzige Station zusammenfallen könnten, ist schon oben vermutet worden.
     Wenn man nun bedenkt, daß anscheinend sowohl Ps-Chrysostomus als auch Ps-Basi-
     lius eine 'Apoll-und-Daphne'-Darstellung in ein Thekla-Monument uminterpretie-
     ren, dann liegt der Gedanke nahe, es könnten auch ihre jeweiligen 'Stationen'
     im Grunde eine einzige sein. Wir hätten dann bei Ps-Chrysostomus und Ps-Basili-
     us nur Varianten der christlichen Folklore inbetreff ein-und derselben Locali-
     tät, und auch die Legende des Ps-Chrysostomus wäre nichts als eine Variante
     zu der Geschichte vom Syriarchen (Acta Kap.26). Alle diese Geschichten und Le-
     genden würden nur einen einzigen, in Daphne liegenden Ort umkreisen.

2   Die vorige Anmerkung besagt keineswegs, daß man auf die Prozessionen gedankli-
     chen Verzicht leisten müßte. Sollten die drei Stationen des Überfalls durch den
     Verlobten, der Wohngruft und der abgewehrten Annäherung des Syriarchen in eine
     einzige Station zusammenfallen, so könnte die in der Malerei von El-Bagawat
     dargestellte Prozession immer noch z.B. zu der Stephanus-Thekla-Kirche gehen,
     die Severus von Antiochia erwähnt (Patrologia Orientalis 25,1, hom.97,p.137
     1.11f,14f; vgl.Dagron S.233, Anm.1), oder in das pierische Seleukia , den Hafen-
     ort Antiochias. Dieses pierische Seleukia mag gerade wie das isaurisch-kilikische
     Seleukia ein Theklaort gewesen sein: von welchem Seleukia nämlich die Acta The-
     clae reden, ist ungewiß, und auch sonst gibt es in der Literatur manche Unklar-

Aus der langen Untersuchung ergibt sich zuletzt für das Relief b, daß
es keineswegs eine obskure Legende abbildet. Vielmehr ist die Darstellung
ein Reflex der Verehrung, die Thekla in Daphne, dem Vorort Antiochias,
genoß[1]. Dann aber tritt das Relief b gleichgewichtig neben das Relief
a, auf dem die Lokallegende von Seleukia festgehalten ist. Auch thematisch sind die Reliefs einander gleich, da sie beide eine Errettung und
ein wunderbares Verschwinden der Heiligen zeigen. Ab wann von diesen
Lokallegenden fertige Bildvorlagen kursierten, ist schwer zu sagen -
vielleicht gab es für diese Szenen solche nie, und die entsprechenden
Darstellungen mußten, wie wir an beiden Reliefs festgestellt haben, be-
darfsweise aus anderen Bildern entwickelt werden. Jedenfalls verläuft
die Bildtradition der Lokalszenen nicht so glatt wie die Tradition der
Szenen, die vom Normaltext der Acta abgedeckt sind.
Die beiden koptischen Reliefs sind Hinweise auf die Auseinandersetzung
und entschiedene Vereinigung von Antike und Christentum, die sich im
Namen Theklas zu Seleukia und Antiochia begeben hat, und zeigen an,
welche Ausstrahlung von diesen Hauptorten dann ausgegangen ist.

---

heiten, die letztlich auf eine Kultkonkurrenz der beiden Seleukia zurückgehen
mögen (vgl.Dagron a.a.O.; G.Downey, Artikel 'Antiochia' in: Reallexikon zur
byzantinischen Kunst I,S.186 unten).

[1] Daß der Verfolger Theklas wie ein Herakles erscheint (vgl.oben S.70), läßt sich
zuletzt noch als dadurch mitbedingt erklären, daß Daphne als eine Gründung des
Herakles galt, ja geradezu auch Herakleia genannt wurde; vgl.G.Downey, A History of Antioch in Syria, Princeton 1961, S.82f.

Kapitel 13

Das Thekla-Schiff in Rom   (Abbildung: 30)

In die Reihe der Thekladenkmäler gehört auch das Fragment eines Sarkophagdeckels in den Musei Capitolini, wohl aus der ersten Hälfte des
4.Jahrhunderts[1]. Das Relief zeigt allerdings ein ungewöhnliches Theklabild, denn dargestellt ist eine Schiffsszene. Das Boot selber, das unter Segel vom Ufer rechts hinausfährt, trägt an seiner Breitseite den
Namen "Thecla". Der alte Steuermann, der die Pinne des Seitenruders und
die Großschot in Händen hält, ist -ebenfalls inschriftlich- als "Paulus"
benannt. Vorn im Schiff hantiert ein anonymer Schiffsjunge, und rechts
am Strand löst ein auch nicht benannter, sitzender Fischer seinen Fang
von der Angel. Alle Männer tragen die einfachste Kleidung, nämlich nur
einen Lendenschurz (subligaculum)[2]. Wenn die Beischriften 'Paulus' und
'Thecla' nicht wären, würde man die Reliefdarstellung kurzum als eine
Fischerszene, als ein Bild aus dem alltäglichen Berufsleben, ansprechen,
so wie auch Handwerkerbilder auf Sarkophagen überliefert sind[3]. Nach unserer Meinung liegt auch nichts anderes als ein Berufsbild vor: die Darstellung zeigt den alten Fischer Paulus, wie er mit seinen Gesellen bei
der Arbeit ist.
Aber nun haben die (sicher ursprünglichen) Beischriften 'Paulus' und
'Thecla' einen Wald von symbolischen Deutungen aufsprießen lassen[4].

1   Musei Capitolini, Sala II, Inv.67. Aus einer Mauer der Basilica S.Valentino an
    der ersten Meile der Via Flaminia; Marmor, wohl ein Deckelfragment; h = 0,26 cm;
    l = 0,54 cm (im Repertorium der christlich-antiken Sarkophage I: Rom und Ostia,
    hrsg. von F.W.Deichmann, bearb. von G.Bovini und H.Brandenburg, Wiesbaden 1967,
    Nr.832 und S.349).

2   Das Subligaculum als Berufskleid der Fischer und Netzeflicker sieht man z.B. auf
    dem Wannensarkophag von S.Maria Antiqua (Abbildung: Rep.747,3; auch: T.Klauser,
    Frühchristliche Sarkophage in Bild und Wort, Olten 1966, Taf.4); ferner auf ei-
    nem Mosaik aus Leptis Magna (Abbildung: U.E.Paoli, Das Leben im alten Rom,2.Aufl.
    Rom, München 1961, Taf. LXXXIV).

3   Zum Sarkophag eines Bäckers im Vatikan vgl.K.Eichner, Die Werkstatt des sogenann-
    ten dogmatischen Sarkophags. Untersuchungen zur Technik der konstantinischen Sar-
    kophagplastik in Rom, Diss.Heidelberg 1977, S.59ff. und Abb.104ff.

4   Vgl. den Katalog 'Frühchristliche Kunst aus Rom', Villa Hügel, Essen 1962, S.222f,
    Nr.466; P.Styger, Die altchristliche Grabeskunst, München 1927, S.59-61; Leclercq
    in DACL XIII,2,2697f; M.Simon, L'apôtre Paul dans le symbolisme funéraire chrétien
    sur un fragment de sarcophage avec barque et scène de pêche, in: Mélanges d'arché-
    ologie et d'histoire 50,1933, S.156-182; und noch einmal M.Simon: Symbolisme et
    traditions d'atelier dans la première sculpture chrétienne, in: Actes du Ve Congrès
    international d'Archéologie chrétienne (1954), 1957, S.314f.-
    Beflügelt werden konnte die symbolische Deutung durch solche Vergleichsstücke wie
    das römische Fragment Repertorium Nr.134 und das "Jesus"-Schiff DACL I,1,607,
    fig.107.

Alle Interpreten sind bisher davon ausgegangen, daß der alte Fischer
namens 'Paulus' eben der Apostel Paulus sein müsse. Dieser Trugschluß
zieht dann gleich die Frage nach sich, in welchem Sinne das Schiff
'Thecla' und die ganze Szene zu verstehen seien. So wird der Apostel
Paulus etwa als Steuermann der christlichen Lehre apostrophiert, und
das Schiff soll die wie Thekla lenksame Seele oder auch Thekla selbst
oder eine Verstorbene dieses Namens, regiert von der Hand des weisen
Menschenfischers, sinnbilden.
Gegen solche Auslegung erheben sich jedoch folgende Bedenken: 1.In der
ganzen Theklaerzählung spielt die Schiffahrt keinerlei Rolle. 2. Wo
ließe sich sonst der Apostel nur mit einem Lendenschurz bekleidet dargestellt finden? Und 3. Welche symbolische Bedeutung hätte denn der
anonyme, am Vorsegel tätige Schiffsjunge vorn im Thekla-Schiff?

    Den Weg zum richtigen Verständnis der Beischrift 'Thecla' auf dem
Seitenbord des Schiffes hat F.J.Dölger gewiesen[1]: "Aus christlicher Zeit
mag man sich der Schiffsdarstellung auf einem Sarkophagbruchstück aus
S.Valentino in Rom erinnern, wo auf der linken Vorderseite des Schiffes
der Name 'THECLA' steht. Die Texte des Lukian und viele andere Zeugnisse
beweisen, daß bei den alexandrinischen Schiffen das Parasemon des Schiffes und sein Name identisch waren... Wenn man Parasemon sagte, so meinte
man eben das Schiffsbild und den Namen zugleich". Da das Schiffsbild
(quasi die Galionsfigur) sehr oft einen Gott darstellte, stand das so
bezeichnete, so benannte Schiff dann auch unter dem Schutz desselben.
Der Fischer und Schiffer Paulus hat, weil er ein Christ war, sein Boot
nun nicht nach Isis, Neptun oder den Dioskuren genannt, sondern nach der
heiligen Thekla. Die Wahl dieses Patronates konnte für einen Mann, dessen
Name Paulus war (und den der Bildhauer auch wie mit einem Apostelkopf
dargestellt hat), wohl naheliegen.
Von der Wundermacht, die Thekla auf See übte, spricht z.B. Ps-Basilius
(Dagron, S.330f.): "Siehe, da erscheint die Jungfrau auf dem sturmge-

---

1   F.J.Dölger, Antike und Christentum VI, Münster 1940/1950, S.276-285 unter dem Titel:
     'Dioskuroi'. Das Reiseschiff des Apostels Paulus und seine Schutzgötter, Zitat S.279.
     Zu den Schiffsnamen s.auch L.Casson, Ships and Seamanships in the Ancient World,
     Princeton 1971, S.335-358 ; L.Casson, Die Seefahrer der Antike, München 1979, S.336,
     339f., 344; vgl. S.372.
     Vom allegorischen Verständnis des Bildes und von der Identifizierung des Fischers
     Paulus mit dem Apostel Paulus ist F.J.Dölger indessen noch nicht ganz frei gekom-
     men; vgl. seine Worte a.a.O. S.285 und in Ichthys V, Münster 1943, S.643 .

schüttelten und bereits im Sinken begriffenen Schiff", übernimmt selbst das Ruder, hißt die Segel, ermutigt die Besatzung, dämpft den Sturm und bringt so Rettung für Schiff und Mann. Der Name "Thekla" am Schiffsbord unseres Reliefs ist demnach ein früher Beleg für die Ablösung der heidnischen Seefahrt durch die christliche[1].

---

1 Vgl.Dölger, Antike und Christentum VI, S.285, wo eine einsichtige Bemerkung des Prokopius von Gaza, Comm. in Isaiam 11 (PG 87,2,2053 D) zitiert wird. Thekla ist nicht minder an die Stelle antiker Gottheiten getreten, als dies von den beliebten Schifferheiligen Nikolaus, Phokas, Santa Maria bekannt ist.

Kapitel 14

Späte spanische Denkmäler

a) Das Antependium von Tarragona (Abb.31)
Dieses überragende Werk der zu Ende gehenden, spanischen Romanik, das den
Hochaltar der Kathedrale von Tarragona ziert, ist etwa am Anfang des 13.
Jahrhunderts entstanden[1]. Wir behandeln das späte, aus Marmor gearbeitete
Relief, weil die Darstellungen deutlich unter dem Einfluß älterer Bild-
tradition stehen. Die Frage, welche Rezension der Acta Theclae oder wel-
che Vita der Heiligen für den Bildhauer maßgebend war, lassen wir offen[2].

Das Mittelfeld des Antependiums zeigt Thekla, die in kleiner Gestalt
als Interzessorin auf der rechten, der guten Seite vor Gottes Thron kniet.
Der bärtige Weltenherrscher, der nimbiert auf einem Faldistorium sitzt,
dessen Zierrate: Löwenköpfe und Klauen, nach rechts hin sichtbar werden,
neigt sich der Heiligen gnädig zu. Thekla ist noch mit ihrem Kopf und
den betenden Händen in seine große Mandorla hineingenommen. Die Geisttaube links oben und die nimbierte Dextera Dei oben rechts ergänzen die Darstellung des Weltenherrschers in trinitarischem Sinn. Eine mögliche Alter-
native zu dieser Deutung ist, daß der Thronende nicht der Weltenherrscher,
sondern Paulus sein soll, den die Dextera Dei dann als Vicarius beglau-
bigt. Thekla würde vor ihm als seine Schülerin die Knie beugen, und die
Geisttaube und die Haltung der linken Hand des Thronenden wären Anzeichen
einer Lehrszene, die ihren Anhalt im Text der Acta Theclae Kap.18 hätte,
wo Thekla Paulus im Gefängnis besucht und "sich ihm zu Füßen setzte und
von den großen Taten Gottes hörte". Zu vergleichen wären die oben in
Kap.2 behandelten Lehrszenen (Abb. 3,4). Vielleicht gilt diese andere
Interpretation des Mittelfeldes aber nur für die Vorlage, die der Meister
des Antependiums dann in ein Bild Theklas vor dem Thron Gottes umgestal-
tet hat.
Die kleinen Felder links und rechts von der Mitte bieten Szenen aus Theklas Leben. Die Szenen links spielen in Ikonium, die rechts in Antiochi-
en und Seleukia.

1   A. Kingsley Porter, Romanische Plastik in Spanien, Bd.II, München 1928, Tafel
     152;
     P.de Palol-M.Hirmer, Spanien - Kunst des frühen Mittelalters vom Westgotenreich
     bis zum Ende der Romanik, München 1965, S.110 und 180 b Nr. und Tafel 251.

2   Zweimal entspricht das Antependium in auffälliger Weise dem Bericht der Legenda
     Aurea (Text bei O.v.Gebhardt, Die lateinischen Übersetzungen der Acta Pauli
     et Theclae, Texte und Untersuchungen zur Geschichte der altchristlichen Litera-
     tur 22 = N.F.7 Heft 2, Leipzig 1902, S.144-146); vgl.S.88 und S.91 oben.

Die beiden Bildquadrate oben links gehören zusammen und ergeben eine einzige, mehrteilige Szene. Man sieht links in das Innere von Theklas Elternhaus hinein; rechts davor predigt Paulus in der Nachbarschaft im Hof
des Onesiphorus-Hauses. Im Inneren des Hauses links hält Theklas Mutter
Theoklia, die rechts nahe der Tür oder der Wand steht, die Dienerschaft
zurück, daß sie nicht auf Paulus hören möge. Alle fünf im Hause versam-
melten Personen weisen mit einem spitzen Finger auf Thekla hin, die im
rechten Bildfeld oben links aus dem Fenster sieht. Vielleicht ist der
vorderste der Männer innen im Haus Theklas Verlobter Thamyris. Theklas
Mutter, die ihm zugewandt steht, macht ihn dann wohl gerade darauf auf-
merksam, es bestehe dringende Gefahr, er werde Thekla verlieren, wenn sie
weiterhin, wie schon drei Tage lang, der Lehre des Paulus nachhänge (Acta Kap. 8-9). Im Felde rechts sieht man, wie gesagt, Thekla oben am Fenster ganz versunken lauschen. Paulus lehrt und legt diskutierend die
Schrift aus und hat einen großen Zustrom an Hörern, die in kleiner Gestalt ihm zu Füßen sitzen und teils mit Begeisterung (worauf die akkla-
mierenden Hände deuten), teils kritisch (nach Ausweis der spitzen Finger) die neue Lehre vernehmen. Thekla sieht Paulus nicht an, denn sie
konnte ihn nur sprechen hören, aber sie sah ihn nicht (Acta Kap.7). Aber
die Lehre des Paulus betrifft sie, da der spitze Finger des Paulus auf
sie weist. Wenn man sich die Schar der Zuhörer wegdenkt, dann hat die
Lehrszene des Paulus mit Thekla am Fenster eine große Affinität zu der
Darstellung auf dem Londoner Elfenbein (Abb. 1 und Kap. 1 a), zumal
hier wie da ein hoher Turm zwischen Thekla und Paulus aufragt und das
geöffnete Haustor zu sehen ist. Dieses Bild geht also, wie das Elfenbein, letztlich auf die Buchmalerei zurück, nämlich auf eine Illustration zum Acta-Text. Dann kann die Gruppe der fünf kleinen Figuren, die
sich links im Innern des Hauses aufhalten, ikonographisch entsprechend
erklärt werden. Theklas Mutter Theoklia im Gespräch mit dem Verlobten
Thamyris haben wir schon identifiziert. Ein Bild der Szene, wo Thamyris
verliebt und beschwörend auf Thekla einredet (Acta Kap.10), müßte übrigens ikonographisch fast gleich aussehen. Die drei übrigen, männlichen
Personen links, denen kein blattiger Hintergrund vergönnt ist, dürften
ursprünglich eine eigene Szene gebildet haben: Thamyris befragt zwei
Männer namens Demas und Hermogenes als Zeugen, was Paulus denn eigentlich lehre (Acta Kap. 11-12), und lädt sie in sein Haus ein, wo sie
in aller Ruhe bei Wein und glänzender Tafel berichten können (Acta
Kap. 13).
Die Darstellung oben links an dem Antependium geht also auf drei, vier
oder fünf Illustrationen zu dem Textstück Acta Kap. 7-13 zurück. Die
Szenen sind hier alle in ein einziges, vielteiliges Bild verschmolzen.

In dem Register darunter sieht man zwei Szenen. Vor dem sitzenden Rich-
ter oder Herrscher von Ikonium, dem Hegemon oder Proconsul (Praeses)
Kastelios (Kap. 15), der Krone und Schwert trägt, wird Thekla verklagt.
Die beiden Personen vor dem Richter sind entweder der erboste Verlobte
Thamyris und Theklas hysterische Mutter Theoklia (Kap. 20 Ende), die
mit spitzen Fingern argumentieren, oder es ist der Verlobte Thamyris mit
Thekla selbst (Kap. 16 und 20). Paulus ist jedenfalls nicht dargestellt,
denn er müßte dann wie in der Lehrszene einen Nimbus haben. Nichts hin-
dert anzunehmen, daß auch dieses Bild letztlich auf die Buchmalerei zu-
rückgeht und daß in ihm die Szenen der Anklage durch Thamyris (Kap. 16)
und Theoklia (Kap.20) und der verschiedenen Verhöre, in denen der Statthalter Paulus allein oder dazu auch Thekla vernimmt (Kap. 17 und 20),
zusammengeflossen sind.
Links gibt der Statthalter bereits Befehl oder spricht das Urteil, und
in dem Bildquadrat rechts sieht man dann die Ausführung. Diese Darstellung Theklas v o r dem Scheiterhaufen ist sehr eigenartig. In der Bildmitte steht in anbetender Haltung (also mit gebeugten Knien, wie in der
Mitte vor dem Thron des Weltenherrschers) Thekla, die ihre Hände nach
links oben zum Himmel hin erhebt, von wo ihr der nimbierte Christus als
Vision (Kap. 21) erscheint[1]. Links brennen die aufgestapelten Hölzer
des Scheiterhaufens. Warum befindet sich Thekla nicht mitten in den Flammen? Rechts hinter Thekla steht ein bärtiger, unsympathisch wirkender
Kuttenträger, eine mönchische Gestalt. Dieser Mann, der Thekla beim Schop-
fe hält und mit seiner Linken spitzen Fingers auf Thekla zeigt, ist wohl
kaum ein Engel, der Thekla aus den Flammen so entrückt hat, wie einst ein
Engel den Habakuk mit Proviant zu Daniel in der Löwengrube brachte, sondern ist eher ein Bediensteter der Inquisition, der Thekla erst noch am
Feuer schmoren läßt, bevor er sie dann gänzlich in die Flammen stößt.
Aber seine Arbeit ist umsonst, denn Thekla spürt wegen der Vision, die
sie hat, nichts von der Hitze. Ja es fällt aus dem Gewölk oben am Himmel
eine Reihe von Tropfen (dargestellt durch fünf gebohrte kleine Löcher
auf einem vertikalen Hintergrundsband) gerade so herab, daß durch sie
Theklas Leib von der Feuerhitze abgeschirmt wird[2]. Von Regen und Hagel,
die nach Acta Kap.22 den Scheiterhaufen selbst löschen, ist nichts zu
erkennen. Die Nacktheit Theklas ist textgemäß (Kap.22). Das Stehen vor
dem bereits brennenden Scheiterhaufen sowie die Christus-Vision in diesem Moment entsprechen dem Bericht des Ps-Basilius (Dagron, S.218). Es
lassen sich auch die lateinischen Texte Epitome II (Legenda Aurea) und

---

1   Vgl. die Parallelen oben S. 16f und S.12, Anm.2.

2   Vgl. die Epitome IV der lateinischen Acta Theclae (ed.Gebhardt p.151, 11-12):
     " de superno ros veniens", wobei der 'Tau' dann allerdings zu einer Überschwem-
     mung hinreicht.

V (Ado) der Acta Theclae zitieren. Die Worte in Epitome II: "Tecla igni iniecta illaesa exivit"[1], lassen die Situation so denken, daß die Heilige in ein schon angezündetes Feuer hineingestoßen wird. Die Epitome V steigert das Motiv noch und erwähnt auch die Exekutoren: Thecla, "rapta igitur ab apparitoribus, ut in focum iactaretur, sponte pyram ascendit"[2]. Doch ist ungeachtet dieser Texte noch nach der Bildvorlage zu fragen. Vermutlich hat Thekla einst zwischen zwei Feuern gestanden, also mitten in den Flammen[3], so daß die Anlage des Bildes vordem symmetrisch war und der Regen aus dem Gewölk zwischen die Feuer fallen konnte. Die Figur des Kuttenträgers hinter Thekla ist vielleicht aus der Büste oder Halbfigur des Statthalters entstanden, der vom Rang des Stadions herab das Autodafé beobachtete; seine nun Theklas Schopf packende Hand gab vordem etwa mit einer Mappa das Kommando zum Anzünden des Scheiterhaufens[4]. Wir erinnern uns hier der Büste des "Paulus" (alias Statthalters) in Theklas Stierkampf-Szene auf der Sinai-Ikone (Abb.17 dazu S.46). Wenn diese Herleitung des Kuttenträgers richtig ist, dann wird das Vorbild dieser Scheiterhaufen-Szene, gerade wie im Fall der Sinai-Ikone, in der Buchmalerei zu suchen sein. Zu demselben Endergebnis kommt man auch, wenn das Bild anders, nämlich als eine Kontraktion dreier Szenen aufgefaßt wird: i. Thekla wird herbeigeschleppt (Acta Kap.22: "als sie nackt hereingebracht ward, weinte und staunte der Statthalter"); ii. sie steht, in visionäre Betrachtung versunken, vor dem aufgeschichteten Scheiterhaufen; und iii. der Regen löscht die Flammen, die sie umlodern.

Das rechte Drittel des Antependiums zeigt im oberen und links im unteren Register Szenen, die in Antiochia spielen. Oben rechts sieht man Thekla mit der Königin Tryphaina, bei der sie schützende Aufnahme gefunden hat. Thekla war in Tryphainas Palast, wenn sie nicht gerade in der Arena vorgeführt oder gepeinigt wurde (Acta Kap.27 Ende, 28 und 29). Die Königin weist mit ihrer Linken einladend in ihr Haus. Thekla erhebt zur Antwort segensreich ihre Rechte. Denselben Fingergestus hat z.B. der Weltenherrscher (Paulus?) in der Mitte des Antependiums. Thekla wiederholt diesen Gestus, denn sie hat für Falkonilla, die verstorbene Tochter der Königin Tryphaina, mit Erfolg ein interzessorisches Gebet gesprochen (Acta Kap.28 und 29 [5]). Hinten treten zwei Soldaten (sicher keine

1 Ed.Gebhardt p.145, 8/22.

2 Ibd. 157,6-7. Auch bei Vincentius Bellovacensis springt Thekla freiwillig ins Feuer: "incendio iudicata sponte in ignem prosiliit" (ibd.147, 23f). So auch bei Ps-Basilius (Dagron, S.218-220).

3 Vgl. die Beispiele in Kap.3 und 4a; Abb.5-9.

4 Vgl. den Text der lateinischen Acta Theclae Kap.22 nach Codex A (ed.Gebhardt p. 56, 5-7):"praeses...iussit".

5 Zum Verständnis dieses Textes vgl.F.Dölger, Antike und Christentum 2,1930,S.13-16.

Dienerinnen) an Thekla heran. Sie tragen Sturmhauben von mittelalterli-
cher Art. Sie legen ihre Hände an Theklas Schultern, um die Heilige nun
zu ihrem Tierkampf abzuführen[1]. Die Königin "Tryphaina wich aber nicht"
von Theklas Seite, "sondern nahm selbst sie bei der Hand" (wie man
sieht) und ging mit ihr diesen letzten Gang zum Stadion (Kap.31).
Ein letztes Detail ist noch zu vermerken: Der Soldat, dessen Kopf über
der Königin Tryphaina zu sehen ist, legt seine rechte Hand von hinten
um Theklas Hals und hebt selbst sein Kinn und Haupt ein wenig in die
Höhe, wie um Thekla an seine Brust zu ziehen. Dieses Motiv entspricht
dem, was der Text Acta Kap.30 andeutet: "Und als es Morgen ward, kam
Alexander (der in Kap.26 beleidigend abgewiesene, stürmische Verehrer
Theklas), um Thekla (von der Königin Tryphaina abzuholen und) zu be-
kommen, denn er selbst gab ja die Hatz (in der Arena), und er sprach
(zu Tryphaina): Gib (sie heraus), daß ich die Tierkämpferin abführe!
Tryphaina aber (die ihn durchschaute) schrie laut auf, so daß er wieder enteilte". Danach schickt dann der Statthalter die Soldaten, die
Thekla abführen (Kap.31).
Die Darstellung auf dem Antependium faßt also fünf Momente zusammen:
i. Tryphaina nimmt sich Theklas schützend an und beherbergt sie in ihrem
Palast (Kap.27 Ende, 28); ii. Theklas heilvolle Fürbitte für Falkonilla, die verstorbene Tochter der Tryphaina (Kap.28/29); iii. die neuer-
liche Abfertigung Alexanders (Kap.30); iv. die Abholung Theklas durch
die Soldaten (Kap.31); v. Tryphaina begleitet Thekla zum Stadion
(Kap.31). Der narrative Charakter des Bildes läßt darauf schließen,
daß entsprechende Szenen der Buchmalerei zugrundeliegen.

Das nächste Bild links zeigt zwei Tierkämpfe der Heiligen. Die kleinen
Tiere, die man rings um Thekla sieht, sind links zwei Löwen, rechts zwei
Bären. Die Löwen kämpfen miteinander; offenbar verbeißt sich hier die
Löwin, die für Thekla kämpft, mit dem bösen Löwen Alexanders (Kap.33).
Der Bär, der sich gegen Thekla aufrichtet und seine Tatzen und Schnau-
ze an ihren Oberschenkel legt, erinnert an die zum Sprung ansetzende
Bärin der Ampullenbilder (Abb. 15,16; Kap. 6). Der vordere Bär streckt
ganz klar seine Zunge heraus und leckt Theklas linken Fuß. Nun spricht
der griechische Text Acta Kap.33 nur von einer wilden Bärin. Die zwei
Bären des Antependiums sind eine Analogiebildung zu den zwei kämpfenden
Löwen links, gemäß dem lateinischen Text "leones et ursos" (ed.Gebhardt
p. 88 - 89). Der Bär, der Theklas Fuß leckt, ist ikonographisch aus der

1   Der ikonographische Typus ist bekannt durch die häufige Szene der 'Bedrängung
     Petri', nämlich seiner Abführung zum Martyrium.

Löwin hervorgegangen, die so laut Acta Kap.28 (33) handelte. Daß dieses
Bildfeld des Antependiums mehrere Szenen vereinigt hat, wird auch daran
ersichtlich, daß aus dem Himmel links ein Engel (der im Unterschied zu
dem Visions-Christus des Flammenmartyriums keinen Nimbus hat) und rechts
eine Gotteshand fährt. Der Engel über den Löwen läßt an das große Medaillon von Kansas City denken (Abb.14; Kap.5), wo Engel die Löwen zu-
seiten Theklas besänftigen. Es verdient Beachtung, daß Thekla hier nicht
nackt erscheint, wie in dem Bild der Robbengrube darunter oder im Bild
des Flammenmartyriums, sondern entgegen dem Text Acta Kap.33 in voller
Bekleidung. Dies Detail ist ebenso wie die Vergleiche, die sich zu den
Medaillonbildern (Abb. 14-16) ergaben, ein Hinweis darauf, daß die Wur-
zeln dieser Darstellung nicht allein in der Buchmalerei liegen. Auch die
gegeneinander stehenden, aufgerichteten Löwen (vgl. Abb.21) und die
symmetrische Komposition des ganzen Bildes belegen das Hereinwirken repräsentativer Entwürfe. Daß jedoch die Buchmalerei als tradierendes Me-
dium auch dieser Szene oder der in ihr vereinten Szenen in Frage kommt,
läßt sich nach dem Gesetz der Serie behaupten.

Das linke Bild darunter zeigt Thekla im Robbenbassin (Acta Kap. 34).
Die aus dem Wellenberg unten heraufsteigenden Fabelrobben[1] sind so zahlreich, daß man annehmen darf, die Vorlage sei durch Buchmalerei überliefert gewesen. Die Riesenunken über Theklas Schultern, die mit heraus-
gestreckten Zungen den Hals der Heiligen belecken, werden vom griechischen und lateinischen Text der Acta nicht erwähnt; wahrscheinlich sind
sie eine Zutat des Antependium-Meisters, der das hübsche Motiv der
bestialisch leckenden Zunge ja auch bei dem Bären (alias Löwin) in
der Szene darüber dargestellt hat.

Im letzten Bild unten rechts sehen wir das Lebensende Theklas in Seleukia, hier dargestellt als das Entschlafen der Heiligen in dem von ihr
gegründeten Nonnenkloster. Thekla, die auf einem Bett liegt, haucht eben
ihr Leben aus, und zwei Engel nehmen den hervorgegangenen Seelenvogel
auf einer Mandorla in Empfang. Um Thekla sind fünf klagende Nonnen ver-
sammelt. Auch für dieses Bild wird der Meister des Antependiums eine
Buchmalerei als Vorlage gehabt haben. Diese Miniatur muß freilich ziemlich jungen Datums gewesen sein, denn die griechische Tradition im

---

1   In den lateinischen Texten der Acta Theclae begegnen verschiedene Bezeichnungen
    der Robben, z.B. vituli marini ("Meerkälber"), focae ("Robben"), volucres
    ("Vögel/Raupen" Gebhardt p.95,3 - daher die Flügel und Schlangenschwänze der
    Robben im Bild), serpentes ("Schlangen" p.154,3). Andere Wörter geben der
    Phantasie völlig freien Raum, wie: beluae marinae ("Meerbestien"), ferae,
    bestiae marinae. Vgl. zu den Ungeheuern noch unsere Bemerkungen oben S.67 mit
    Anm. 3 und S.68, Anm.1.

Einklang mit den alten Acta Theclae erzählt das Lebensende der Heiligen
ganz anders. Erst die lateinische Epitome II (Legenda Aurea) läßt an
einen Hinschied Theklas im Kreise ihrer Nonnen denken: Thekla "vero mul-
tarum virginum mater extitit et orans ad Christum perrexit" (ed.Geb-
hardt p.146).

Zusammenfassend läßt sich sagen: das Marmorantependium von Tarragona
bietet uns den reichsten Niederschlag von jenem frühen Miniaturenzyklus
zu den Acta (? Pauli et) Theclae, den wir bereits im ersten Kapitel
postulieren konnten und dessen Spuren wir dann laufend wiederbegegnet
sind. Der Meister von Tarragona schöpft aus einer acht- bis neunhundert
Jahre alten Bildtradition. Das Antependium gibt eine Anschauung von etwa
20 Bildern des alten Miniaturenzyklus. Da in diesem Zyklus die Abfolge
der Bilder anscheinend dicht war und die Miniaturen jeden Szenenwechsel
berücksichtigten, kann man schätzen, daß der ganze Zyklus wohl eine
Zahl von über 60 Bildern besaß.

b) Weitere Hinweise

Der - in Spanien übrigens alte[1]- Theklakult von Tarragona kam auf seinen
Höhepunkt, als im Jahre 1320 eine Gesandtschaft, die König Jakob II. von
Aragon abgeschickt hatte, aus Kleinarmenien mit einer großen Reliquie,
nämlich einem Arm der heiligen Thekla, zurückkehrte. Die Freude über die
Reliquie und ihre Wunderkraft wurde nur ein wenig dadurch getrübt, daß
der armenische König Wasgen (Oscinus, Ossinius) den Daumen, das mäch-
tigste Glied am Arme, trotz monatelanger Verhandlung nicht mit hergege-
ben hatte. Im Jahre 1323 unternahm man dann die Translatio des Armes
von der Küste ins Stadtinnere von Tarragona. Vorneweg zogen über 4000 Be-
gleiter mit Kerzen, danach 7354 geistliche Würdenträger. Dann kam der

1   Die vielleicht schon im dritten Jahrhundert entstandenen, spanischen Acta Xanthip-
     pae et Polyxenae (ed.M.R.James in: Texts and Studies II,3: Apocrypha Anecdota,
     Cambridge 1893, p.43-85) sind in starker Abhängigkeit von den Acta Pauli et The-
     clae verfaßt, anscheinend zu dem -nicht erreichten- Zweck, die Acta Theclae und
     den Theklakult in Spanien zu verdrängen (Rolffs in Hennecke's Handbuch zu den
     neutestamentlichen Apokryphen, Tübingen 1904, S.374f).

Baldachin, unter dem der Erzbischof von Tarragona mit dem Arm einher-
schritt, während neben ihm König Jakob und Kronprinz Alphons gingen.
Den Baldachin trugen Prinzen und vornehmste Adlige. Dann folgte noch
eine große Zahl von allererstem Adel[1].

Der Besitz der Reliquie führte dazu, daß man in Tarragona gut ein Jahrhundert nach dem Marmorantependium der Kathedrale noch eine Reihe weiterer Thekladenkmäler schuf[2]. So das Reliquiar der Thekla vom Jahre
1337, an dem in Malerei die stehenden Gestalten von Thekla mit Palmzweig
und Paulus mit Schwert zu sehen sind[3]. Besonderes Interesse verdient
wohl noch das ab 1426 entstandene Alabasterretabel von Meister Pedro Johan de Vallfogona in der Kathedrale, denn es zeigt verschiedene Szenen
aus dem Leben Theklas und auch ein Bild der Translatio des Armes[4]. Wir
müssen auf einen Vergleich mit dem älteren Marmorantependium, zu dem das
riesige, einst in Gold und Blau und anderen Farben bemalte Alabasterretabel herausfordert, verzichten, da wir bis zur Drucklegung dieses Bu-
ches keine zureichende Abbildung des Werkes haben finden können[5]. So
bleibt uns nur der Verweis auf die entlegene Literatur[6].

1   Acta Sanctorum Sept.tom.VI,p.563F-565E §VI.

2   Vgl.Lexikon der christlichen Ikonographie VIII, 1976, Sp.435f.

3   Ars Hispaniae vol.9: pintura gótica, por J.Gudiol Ricart, Madrid 1955, Fig.4(S.25).

4   Vgl.Lexikon der christlichen Ikonographie VIII, 1976, Sp.436 und die folgende
    Anmerkung.

5   Eine Gesamtansicht bei M.Dieulafoy, Geschichte der Kunst in Spanien und Portugal,
    Stuttgart 1913, S.181 Abb.358 (Text S.177f.). Die Abb.359 und 360 auf S.182 zei-
    gen zwei Einzelszenen: i. Thekla, die mit betend ausgebreiteten, von Engeln ge-
    stützten Armen und halbnackt, nämlich nur mit einem langen Schurz bekleidet, mit-
    ten im Feuer steht, und ii. Thekla, die bis zur Gürtellinie in dem Wellenberg des
    Robbenteiches, der hier voller Schlangen ist (vgl.oben S.90 Anm. 1), schamhaft
    versunken steht, wobei neben dem Gewässer links und rechts noch je ein Baum mit
    Dickicht wächst, worin sich hier wie da der Kopf eines Beobachters, Soldaten (?)
    oder Verfolgers (?) sehen läßt. Beide Bilder sind im Grunde noch immer von den
    alten Schemata abhängig, mögen die Darstellungen nun auch reicher und bewegter
    sein als in der alten Zeit. Das Bild der Thekla im Teich z.B. wäre mit der Vor-
    lage, die wir für das koptische Relief a im Brooklyn-Museum erschlossen haben
    (oben S.69; Abb.23), zu vergleichen. "Eine dritte Marterszene zeigt, wie Stie-
    re die Heilige schleifen und ihren jugendlichen Körper an den Steinen des Weges
    zerreißen" (Dieulafoy S.178): dieses Bild dürfte ganz neu und Beleg für eine
    blühende Auswucherung der alten Legende sein. Nach dem Lexikon der christlichen
    Ikonographie a.a.O.Sp.436 ist am Retabel auch die Szene von Thekla zwischen den
    wilden Tieren sowie ein Bild, wie sie die Lehre des Paulus hört.

6   Nach dem Lexikon der christlichen Ikonographie a.a.O.: O.S.Canals, La iconogra-
    fía tarraconense de Santa Tecla y sus fuentes literarias, in: Buletín arqueoló-
    gico Tarragona 52,1952, S.113-136 (mit mindestens 6 Abbildungen).

Katalog der Thekla-Bilder

(zugleich Nachweis unserer Abbildungen)

(1) A d a n a

Eski Eserler Müzesi, bzw.Arkeoloji Müzesi Figuralkapitell mit Thekla-Inschrift und Büste	bisher unveröffentlicht; hier: Abb.: 2 (Foto:Nauerth) dazu S. 8

(2) A d a n a

Eski Eserler Müzesi, bzw.Arkeoloji Müzesi Silberkästchen mit Thekla-Orans	hier: Abb.: 20 und 21 (Fotos: Prof.Buschhausen) Kap. 10

(3) A l e x a n d r i a

Museum Fragment einer Menas-ampulle mit Thekla-bild	nur erwähnt bei: C.M.Kaufmann, Ikonographie der Me-nasampullen, Kairo 1910, S.140;- G.Wilpert, Menasfläschchen mit der Darstellung der hl.Thekla zwischen den wilden Tieren, in: RömQSchr XX,1906,S.90. hier: ohne Abb. vgl.S. 35

(4) A t h e n

Benaki-Museum Nr.2107 Fingerring mit Thekla-bild	Abbildung: Katalog 'Age of Spirituality' Nr.305, S.326f. hier: ohne Abb. vgl.S. 53f

(5) B e r l i n

Frühchristlich-byzan-tinische Sammlung, Nr.1361 Menasampulle mit Theklabild	Abbildung: O.Wulff, Altchristliche und mittel-alterliche byzantinische Bildwerke I, Berlin 1909, Taf.LXIX. hier: ohne Abb. vgl.S. 35ff

(6) B e r l i n

Frühchristlich-byzan-tinische Sammlung, Nr.3263 Holzkamm mit Thekla-Orans	Abbildungen: A.Effenberger, Koptische Kunst, Leipzig 1974, Taf.85 (Daniel);- R.Forrer, Die frühchristlichen Al-tertümer aus dem Gräberfeld von Achmim-Panopolis, Strasburg 1903, pl.XII; O.Wulff, Altchristliche und mittel-alterliche byzantinische Bildwerke I, Berlin 1909, Taf. IX und X. hier: Abb.:19 (nach Forrer); Kap. 9.

B o s t o n, s. Kansas City

(7) D a p h n e, bei Antiochia

Apsisbild: Thekla-   erschlossen aufgrund des Textes von
Orans, Kränze in Hän-   Ps-Chrysostomus, Migne PG.50, 745ff
den,oben Dextera Chri-   und Analecta Bollandiána 13;1975,
sti, vielleicht Flam-   S.349 ff.
men rechts und links   vgl.S.74f, Anm.1

(8) E l - B a g a w a t

Exoduskapelle   W.De Bock, Matériaux pour servir à
Malerei mit mehreren   l'archéologie de l'Égypte chrétienne,
Theklaszenen   Petersburg 1901. Taf.IX;-
                             A.Grabar, Martyrium. Recherches sur
                             le culte des reliques et l'art chré-
                             tien antique II. London 1972, pl.
                             XXXV, 1.2;-
                             H.Stern, Les peintures du Mausolée
                             de l'exode à El-Bagawat, in:
                             CArch 11,1960, S.98 und fig.8,S.104;-
                             K.Wessel, Koptische Kunst, Die Spät-
                             antike in Ägypten, Recklinghausen
                             1963, Farbtaf. VIc bei S.152;
                             DACL II,1, fig.1188.
                             hier: Abb.: 5-7 (nach Stern und
                             Fakhry; Abb.6: C. Heginbottom)
                             Kap.3.

(9) E l - B a g a w a t

Kapelle 25 (?)   Abbildung:
vielleicht Reste einer   A.Fakhry, The Necropolis of El-Baga-
Malerei mit Thekla und   wat in Kharga Oasis, Cairo 1951,
Paulus   fig. 74; vgl.S. 80, 87.
                             hier: ohne Abb.
                             vgl.S.11,Anm.7.

(10)E l - B a g a w a t

Friedenskapelle   Abbildungen:
(Nr.80)   A.Fakhry, The Necropolis of El-Baga-
Malerei mit Thekla   wat in Kharga Oasis, Cairo 1951,
und Paulus   fig.71 und pl.I, XXI und XXIV;
                             DACL I,2, fig.850; DACL II,1, fig.
                             1811 und DACL XII,2, fig.8981.
                             hier: Abb.: 3   (nach Fakhry);
                             Kap. 2.

(11)E t s c h m i a d z i n

Relief mit Paulus   Abbildung:
und Thekla   Zeichnung: DACL II,2, fig.2221;
                             hier: Abb.: 4 (nach DACL);
                             vgl.S.11.

(12)G ö r e m e

Ayali Kilise,Südka-   erwähnt bei:
pelle, Westwand   N. und M.Thierry, Ayvali-Kilise ou
Thekla mit Beischrift,   pigeonnier de Gülli Dere.Eglise in-
mehrere weibl.Heilige   édite de Cappadoce, CArch 15,1965,103.

(13) K a i r o

Koptisches Museum
Nr.8693
Grabstele einer
Thekla

Abbildung:
W.E.Crum, Coptic monuments. Catalogue général des Antiquités égyptiennes, Le Caire 1902, pl.LII;
DACL XII,2, fig.9098.
hier: Abb.: 18 (nach Crum)
Kap. 8.

(14) K a n s a s   C i t y

Nelson Gallery-At-
kins Museum
(Nelson Fund 48.10)
Thekla-Medaillon

Abbildung:
Katalog Romans and Barbarians; Museum of Fine Arts Boston, Boston
1976, Nr.236, S.202;-
hier: Abb.: 14 (nach Katalog)
Kap. 5.

(15) L a t m o s

Pantokratorhöhle,
Thekla in einer Rei-
he von Heiligen,
außer dem Namen ist
von der Gestalt so
gut wie nichts er-
halten

erwähnt bei:
Th.Wiegand, in: Milet III,1, der
Latmos, Berlin 1913, S.200 f.
hier: ohne Abb.

(16) L o n d o n

British Museum
Nr.886
Menasampulle mit
Theklabild

Abbildung:
O.M.Dalton, Catalogue of Early Christian antiquities etc. of the British Museum, London 1901, Nr.882,
pl.XXXII;
hier: Abb.: 16 (nach Dalton)
vgl.S.35ff

(17) L o n d o n

British Museum
The Trustees of the
British Museum 56,6-
23, 8,9 und 10
Elfenbeintafeln mit
Petrus- und Paulus-
szenen

Abbildungen:
Katalog 'Age of Spirituality' Nr.455,
S.507 f.;
O.M.Dalton, Catalogue of Early Chri-
stian antiquities etc. of the Bri-
tish Museum, London 1901, Nr.292
a-e;-
Volbach, Elfenbeinarbeiten 1976[3],
Nr.117, Taf.61.
hier: Abb.: 1 (nach Volbach)
Kap. 1.

(18) L o n d o n

British Museum
Cod.Add.Ms.11870,
Symeon Metaphrastes
fol.174v, Thekla-
Miniatur

Abbildungen:
H.Buschhausen,Frühchristliches Silberreliquiar aus Isaurien, in:
Jahrbuch der österreichischen-by-
zantinischen Gesellschaft 11/12,

Thekla zwischen
Löwen, die aus einer
Architektur heraus-
kommen

Jahrgang 1962-63, fig.8;
Lexikon der christlichen Ikonographie VIII,1976, Sp.434, Nr.2;
hier: ohne Abb.
vgl.S. 42, 51,Anm.1.

(19) L o n d o n

British Museum
Fragmente einer
Glasschale mit
kleinen Medaillons,
darunter eines mit
weiblicher Orans
zwischen Flammen

Abbildung:
O.M.Dalton, Catalogue of Early Christian antiquities etc. of the British Museum, London 1901, Nr.629
und pl.XXX;-
Katalog Gallien in der Spätantike,
Mainz 1980, Nr.125.
hier: Abb.: 8 (nach Dalton);
Kap. 4a.

(20) L o n d o n

British Museum
Fragmente einer
2.Glasschale,
wie Nr.19

Abbildung:
O.M.Dalton, Catalogue of Early Christian antiquities etc. of the British Museum, London 1901, Nr.618
und pl.XXXI;
hier: ohne Abb.
Kap. 4a.

(21) N e w Y o r k

Brooklyn Museum
Nr.40.299
Kalksteinrelief mit
Thekla-Bild

Abbildung:
Katalog Pagan and Christian Egypt.
Egyptian Art from the first to the
tenth Century A.D.Brooklyn Museum
1941, Nr.59.
hier: Abb.: 23 (nach Katalog);
Kap. 12 a.

(22) -------- Nr.40.300
Kalksteinrelief mit
Reiter

Abbildung:
Katalog Pagan and Christian Egypt.
Egyptian Art etc. 1941, Nr.58.
hier: Abb.: 24 (nach Katalog);
Kap. 12 b.

(23) P a r i s

Louvre
Département des
Antiquités Grecques
et Romaines, MNC 1926
Ampulle mit Thekla-
Bild

Abbildung:
Katalog 'Age of Spirituality'
Nr.516, S.576 ff.;
hier: Abb.:10f.(Fotos des Museums);
Kap. 4.

(24) R o m

Musei Capitolini
Sala II, Inv.67
Sarkophagdeckelfrag-
ment mit Thekla-
Schiff

Abbildung:
Repertorium der christlich-antiken
Sarkophage I: Rom, Wiesbaden 1967,832;
hier: Abb.: 30 (Foto des DAI);
Kap. 13.

(25) R o m

Vatikan
Cod.Vat.Gr.1613,
Menologion des Ba-
sileios, fol.64
Thekla betend in
felsiger Landschaft

Abbildung:
Il menologio di Basilio II,
Torino 1907, Abb.64;-
hier: ohne Abb.
vgl.S. 67, Anm.2; S.73f mit Anm.

(26) S i n a i

Thekla-Ikone

Abbildung:
K.Weitzmann, The Monastery of Saint
Catherine at Mount Sinai. The Icons
Princeton 1976,S. 44f., B 19-20
auf Taf. LXVII;-
hier: Abb.: 17 (nach Weitzmann);
Kap. 7.

(27) S t u t t g a r t

Landesbibliothek,
Passionale aus
Hirsau (12.Jh.),fol.
157 b: Thekla thro-
nend über der Löwin;
Löwin verschlingt
Bärin; Feuermarty-
rium

Abbildung:
A.Boeckler, Das Stuttgarter Passionale, Augsburg 1923, Abb.31;
hier: ohne Abb.
vgl.S. 24,Anm.4.; S.26,Anm.4;
S.39,Anm.3; S.43,Anm.3.

(28) T a r r a g o n a

Kathedrale
Antependium mit
Zyklus von Thekla-
Szenen

Abbildung:
P. Palol-M.Hirmer, Spanien vom West-
gotenreich bis zum Ende der Romanik, München 1965, Abb.251
hier: Abb.: 31 (Foto Hirmer);
vgl.S.67, Anm.3 und
Kap.14a.

(29) T a r r a g o n a

Kathedrale
Alabasterretabel
von Pedro Johan,
um 1426 mit Zyklus
von Thekla-Szenen

erwähnt bei:
J.Leibbrand, in: Lexikon der christ-
lichen Ikonographie VIII, 1976,
Sp. 436, Lit. Nr.12   (Artikel
'Thekla').
Kap.14b.

(30) T h e s s a l o n i k i

Grabmalerei mit
Thekla auf dem
Scheiterhaufen

notiert: X.Internationaler Kongreß
für Christliche Archäologie, Thessaloniki 28.9.-4.10.1980, Communica-
tion: T.Pazaras, Δύο παλαιοχριστιανικοί τάφοι στό δυτικό νεκροταφείο
Θεσσαλονίκησ.
hier:ohne Abb.
vgl.S. 12, Anm.2

(31) V e r b l e i b

    u n b e k a n n t (Frankfurt?)   Abbildungen:
        Menasampulle mit   H.Buschhausen, Frühchristliches Sil-
        Theklabild (1)   berreliquiar aus Isaurien, in: Jahr-
                                buch der Österreichischen-byzantini-
                                nischen Gesellschaft 11/12,1962-63,
                                fig.10;
                                C.M.Kaufmann, Die heilige Stadt der
                                Wüste, Kempten-München 1924, Abb.52
                                bei S.88; -ders.Ikonographie der Me-
                                nasampullen, Kairo 1910,S.142 mit
                                fig.85;-
                                A.Grabar, Martyrium II. Recherches
                                sur le culte des reliques et l'art
                                chrétien antique, London 1972,
                                pl.LXIII,7;-
                                DACL XI,1,fig.7977;
                                K.Weitzmann, The Monastery of Saint
                                Catherine at Mount Sinai. The Icons
                                Princeton 1976, Abb.21;-
                                hier: Abb. 15 (nach Weitzmann);
                                vgl.S. 35ff, bes.S.35, Anm.4.

(32) V e r b l e i b

    u n b e k a n n t (Frankfurt?)   Abbildungen:
        Menasampulle mit   C.M.Kaufmann, Die heilige Stadt der
        Theklabild (2)   Wüste, Kempten-München 1924, Abb.62
                                  bei S.100;-
                                G.Wilpert, Menasfläschchen mit der
                                Darstellung der hl. Thekla zwischen
                                den wilden Tieren, in: RömQSchr XX,
                                1906, S.87;-
                                DACL XI,1, fig.7979;
                                hier: ohne Abb.
                                vgl.S. 35, Anm.4.

(33) P r i v a t b e s i t z

    C.M. K a u f m a n n   Abbildung:
        Öllampe mit   C.M.Kaufmann, Archäologische Miszel-
        Thekla-Orans   len aus Ägypten, in Oriens Christi-
                                anus 2.Ser.3,1913,S.108,fig.3;
                                hier: ohne Abb.
                                vgl.S. 51, Anm.1; S.68,Anm.2.

(34) V e r b l e i b

    u n b e k a n n t
        Stofffragment   Abbildung:
        mit weiblicher   R.Forrer, Die frühchristlichen Alter-
        Orans zwischen   tümer aus dem Gräberfelde von Ach-
        Flammen   mim-Panopolis, Strasburg 1893,
                                Taf. XVI,10 und S.28;
                                hier: ohne Abb.
                                Kap. 4a.

(35) W a s h i n g t o n

                    D.C.Textile Museum   Abbildung:
                    Inv.nr.TM 71.46   Katalog Pagan and Christian Egypt,
                    Vorhang mit Thekla-   Brooklyn Museum, New York 1941,
                    bild   Nr.249;-
                                               hier: Abb.: 22 (nach Katalog);
                                               Kap.11.

F r a g l i c h e   u n d   f a l s c h e   T h e k l a - B i l d e r

(1) B r i n d i s i

                    Archäologisches Mu-   Abbildung:
                    seum, Skulptur einer   B.Sciarra, Brindisi -Museo archeo-
                    Sitzenden zwischen   logico provinciale- (Musei d'Ita-
                    Löwen, sicherlich   lie, Meraviglie d'Italia 9),
                    Kybele   Bologna 1976, S.51, Nr.386;
                                               fälschlich als Thekla bezeichnet
                                               bei J.Leibbrand, Artikel 'Thekla',
                                               Lexikon der christlichen Ikonogra-
                                               phie VIII,1976, Sp.434.

(2) L o n d o n

                    British Museum   Abbildungen:
                    aus Köln, ehem.Samm-   O.M.Dalton, Catalogue of Early Chri-
                    lung Herstatt   stian antiquities etc. of the Bri-
                    Rest einer Glasschale   tish Museum, London 1901, Nr.628
                    mit figürlichen Sze-   (mit weiterer Lit.);-
                    nen, darunter weib-   Frühchristliches Köln, Köln 1965,
                    liche Orans mit ge-   Taf.10 und S.67 (weitere Abbildungs-
                    lagertem Stier   nachweise);-
                    (Thekla ?, die jam-   Katalog Gallien in der Spätantike,
                    mernde Hebamme Salome?)   Mainz 1980, S.110, Nr.128;-
                                               F.Fremersdorf, Die römischen Gläser
                                               mit Schliff, Bemalung und Goldauf-
                                               lagen aus Köln. Die Denkmäler des
                                               römischen Köln VIII,1967,215f,
                                               Taf.298-299.

(3) M a r s e i l l e

                    St.Victor, Krypta   Abbildung:
                    Sarkophag mit Pas-   P.Borraccino, I sarcofagi paleocri-
                    sionsszenen,   stiani di Marsiglia, Bologna 1973,
                    Theklabild ?   S.46 mit fig.13, vgl.S.47f mit Anm.
                                               128.

(4) P a r i s

                    Louvre   Abbildungen:
                    Elfenbeinrelief   Volbach, Elfenbeinarbeiten 1976[3],
                    mit Stadtdarstellung,   Taf. 76, Nr.144;
                    Alexandria? Troas?   DACL I,1, 1119, fig.273 s.v.'Alexan-
                    Ikonium?   drie' (dort auch kurze Diskussion)

Für weitere Thekla-Bilder verweisen wir auf den Artikel 'Thekla' im Lexikon der christlichen Ikonographie, VIII,1976, Sp.432-436 von J.Leibbrand; die dort Sp.433 genannten
Monumente (Zaloscer, fig.37 und 38) sind keine Theklabilder. Bilder des ebenfalls
dort genannten Zyklus in Tarragona (hier Nr.29) blieben bis zur Drucklegung des Manuskriptes unerreichbar.

100 Abkürzungsverzeichnis

Verwendete Abkürzungen

AA	Archäologischer Anzeiger
Acta Apostolorum Apocrypha	Acta Apostolorum Apocrypha, ed.Lipsius-Bonnet I, Darmstadt 1959, S.235-272
AJA	American Journal of Archaeology
Apokr.	Hennecke-Schneemelcher, Die neutestamentlichen Apokryphen II, Tübingen 1964
CArch	Cahiers Archéologiques
DACL	Dictionnaire d'Archéologie chrétienne et de liturgie
Dagron	Vie et Miracles de Sainte Thècle. Texte grec, Traduction et Commentaire. Subsidia Hagiographica 62, Brüssel 1978
DCB	Dictionary of Christian Biography, Literature, sects and doctrines Vol.IV, 1887; vgl. unter Smith-Wace
GCS	Griechisch Christliche Schriftsteller
JbAChr	Jahrbuch für Antike und Christentum
PG	Patrologia Graeca
PL	Patrologia Latina
RAC	Reallexikon für Antike und Christentum
RACrist	Rivista di Archeologia Cristiana
RBK	Reallexikon zur Byzantinischen Kunst
Rep.	Repertorium der christlich-antiken Sarkophage I: Rom und Ostia, hrsg. von F.W.Deichmann, bearb. von G.Bovini und H.Brandenburg, Wiesbaden 1967
RM	Römische Mitteilungen
RömQSchr	Römische Quartalschrift
ZNW	Zeitschrift für neutestamentliche Wissenschaft und die Kunde der älteren Kirche

Bei häufig vorkommenden Titeln wird ein Stichwort verwendet, wenn der Nachweis zuvor bibliographisch vollständig zitiert wurde.

Acta Apostolorum Apocrypha   ed.Lipsius-Bonnet, Darmstadt 1959

'Age of Spirituality'   Catalogue of the exhibition 'The Metro-
politan Museum of Art', ed.K.Weitzmann,
New York 1979

Aubineau, M.   Le panégyrique de Thècle, attribué à Jean
Chrysostome (BHG 1720): la fin retrou-
vée d'un texte mutilé, in:
Analecta Bollandiana 93,1975,S.349-362

Beckwith, J.   Coptic Sculpture 300-1300, London 1963

De Bock, W.   Matériaux pour servir à l'archéologie de
l'Égypte chrétienne, Petersbourg 1901

Boston   Museum of Fine Arts. Catalogue 'Romans
and Barbarians', Boston 1976

Du Bourguet, P.   Die Kopten, Baden-Baden 1967

Buschhausen, H.   Die spätrömischen Metallscrinia und frühchristlichen Reliquiare, Wiener Byzanti-
nische Studien IX, Wien 1971

Buschhausen, H.   Frühchristliches Silberreliquiar aus Isaurien, in:
Jahrbuch der Österreichischen Byzantinischen Gesellschaft 11/12, 1962/63,
S.137-168

Crum, W.E.   Coptic monuments. Catalogue général des
Antiquités égyptiennes, Le Caire 1902

Dalton, O.M.   Catalogue of Early Christian antiquities
and objects from the Christian East in
the Department of British and Mediaeval
Antiquities and Ethnographs of the British Museum, London 1901

Delehaye, H.   Les miracles de Sainte Thècle, in:
Analecta Bollandiana 43,1925,S.49-57

Dagron, G.   L'Auteur des 'Actes' et des Miracles de
Sainte Thècle, in:
Analecta Bollandiana 92,1974,S.5-11

Dagron, G.   Vie et Miracles de Sainte Thècle, Texte
Grec, Traduction et Commentaire.
Subsidia Hagiographica 62, Brüssel 1978

Effenberger, A.   Koptische Kunst, Leipzig 1974

Eyice, S.   Aya Thecla efsanes ve sanat tarihinde
Aya Thecla, Anit 1-32, Konya 1962

Fakhry, A.   The Necropolis of El-Bagawat in Khargae
Oasis, Cairo 1951

Festugière, R.P.A.J.   Collections grecques de miracles: Sainte
Thècle, Sainte Côme et Damien, Saint Cyr
et Jean, Saint Georges (zu Thekla:
S.11-82), Paris 1971

Gaiffier, B. de   La lecture des Actes des martyrs dans la
la prière liturgique, in:
Analecta Bollandiana 72,1975,S.143ff

Gebhardt, O. von   Die lateinischen Übersetzungen der Acta
Pauli et Theclae
Leipzig 1902

Goodspeed, E.J.

The Book of Thekla, in:
The American Journal of Semitic Languages
and Literatures 17,1901, Nr.2, S.65-95

Gough, M.

The Emperor Zeno and some Cilician Churches,
in: Anatolian Studies 22,1972,S.199-212

Grabar, A.

Martyrium. Recherches sur le culte des
reliques et l'art chrétien antique I.II.
London 1972

Hennecke, E.

Handbuch zu den neutestamentlichen Apokryphen, S.370-378, Tübingen 1904

Hennecke, E.-Schneemelcher, W.

Die neutestamentlichen Apokryphen II,
Tübingen 1964, S.227-229 und 243-251

Herzfeld, E.-Guyer, S.

Meriamlik und Korykos, zwei christliche
Ruinenstädte des Rauhen Kilikiens =
Monumenta Asiae minoris Antiqua II
Manchester 1930

Holzhey, C.

Die Thekla-Akten, ihre Verbreitung und
Beurteilung in der Kirche, München 1905

Honigmann, E.

Patristic Studies XIX; Theodoret of
Cyrhus and Basil of Seleucia, the time
of their death, in:
Studi e Testi 173-4, 1953, Città del
Vaticano, S.174-184

Kasser, R.

Acta Pauli 1959, in:
Revue d'histoire et philosophie religieuses 40,1960, S.45-57

Katalog

l'Art Copte, Petit Palais, Paris 1964

Katalog

Art of the Late Antique from American
Collections, Boston 1968

Katalog

Koptische Kunst, Christentum am Nil,
Essen 1963

Katalog

Frühchristliche und koptische Kunst,
Wien 1964

Katalog

Frühchristliche Kunst aus Rom, Villa
Hügel,Essen 1962

Katalog

Late Egyptian and Coptic Art. An Introduction to the Collections in the Brooklyn-Museum, Brooklyn Museum 1943

Katalog

Pagan and Christian Egypt, Brooklyn-Museum, New York 1941

Kaufmann, C.M.

Ikonographie der Menasampullen,
Kairo 1910

Kaufmann, C.M.

Die heilige Stadt der Wüste,
Kempten-München 1924

Kiss, Z.

Les ampoules de St.Ménas découvertes à
Kôm el-Dikka (Alexandrie) en 1967, in:
Travaux du centre d'Archéologie méditerra-
néenne de l'Académie polonaise des scien-
ces, Tome 8, Études et Travaux III,
Warschau 1969, S.154-166

Kiss, Z.   Nouvelles ampoules de St.Ménas à Kôm el-
                            Dikka, in: Travaux du centre d'Archéologie
                            méditerranéenne de l'Académie polonaise
                            des sciences, Tome 11, Études et Travaux
                            V, Warschau 1971, S.146-149

Kötting, B.   Peregrinatio religiosa, Wallfahrten in
                            der Antike und das Pilgerwesen in der
                            alten Kirche, S.140-160. Forschungen zur
                            Volkskunde 33-35,
                            Regensburg-Münster 1950

Kramer, J.   Ein Fund an der Kuppelbasilika von Meriam-
                            lik, in:
                            Byzantinische Zeitschrift 56,1963,
                            S.304-307 und Taf.III,IV

Leibbrand, J.   Artikel'Thekla' im Lexikon der christli-
                            chen Ikonographie VIII, 1976,Sp. 432-36

Leipoldt, J.   Geschichte des neutestamentlichen Kanons I
                            Leipzig 1907

Lipsius s.Acta

Mango, C.   Isaurian Builders, in:
                            Polychronion, Fs F.Dölger, Heidelberg 1966,
                            S.358-365

Lucius, E.   Die Anfänge des Heiligenkults in der
                            christlichen Kirche,
                            Tübingen 1904, S.205-214

Patlagean, E.   L'histoire de la femme déguisée en moine
                            et l'évolution de la sainteté féminine à
                            Byzance, in:
                            Studi Medievali 17, Fasc.II, ser.III,1976,
                            S.597-623

Pazaras, T.   Δύο παλαιοχριστιανικοί τάφοι στό δυτικό
                            νεκροταφεῖο Θεσσαλονίκησ. 10.Internatio-
                            naler Kongreß für Christliche Archäologie
                            Thessaloniki, Oktober 1980

Radermacher, L.   Hippolytos und Thekla. Studien zur Ge-
                            schichte von Legende und Kultus, in:
                            Kais.Akad. der Wissenschaften in Wien,
                            Phil.-hist.Klasse, Sitzungsberichte
                            182, 3.Abh., Wien 1916

Reinach, S.   Cultes, mythes et religions IV,1912,
                            über Thekla S.231-251

Repertorium   Repertorium der christlich-antiken Sarko-
                            phage I: Rom und Ostia,
                            hrsg. von F.W.Deichmann, bearb. von G.Bo-
                            vini und H.Brandenburg, Wiesbaden 1967

Riemschneider, M.   Heidnische Götter in christlichem Gewande:
                            Die Löwenheiligen, in:
                            Byzantinische Beiträge, hrsg. von J.Irm-
                            scher, Berlin 1964, S. 81-89

Rougé, J.   L'Histoire Auguste et l'Isaurie au IVe
                            siècle, in:
                            Revue des Études Anciennes 68,1966,
                            S.282-315

Salomonson, J.W.   Voluptatem spectandi non perdat sed mutet.
                          Observations sur l'Iconographie du mar-
                          tyre en Afrique Romaine,
                          Amsterdam-Oxford-New York 1979

Schlau, C.   Die Acten des Paulus und der Thecla und
                          die ältere Theclalegende, Leipzig 1877

Schmidt, C.   Acta Pauli aus der Heidelberger Koptischen
                          Papyrushandschrift Nr.1, hrsg.1904,1905[2]

Schultze, V.   Altchristliche Städte und Landschaften II.
                          Kleinasien, Gütersloh 1926, S.219-247

Smith, W.-Wace, H.   A Dictionary of Christian Biography, Li-
                          terature, sects and doctrines Vol.IV,882
                          bis 896: "Thecla (1)", London 1887

Söder, R.   Die apokryphen Apostelgeschichten und die
                          romanhafte Literatur der Antike.
                          Würzburger Studien zur Altertumswissen-
                          schaft 3.Heft, Stuttgart 1932,S.126-133

Thompson, E.A.   The Isaurians under Theodosius II, in:
                          Hermathema 68,1946, S.18-31

Volbach, W.F.   Elfenbeinarbeiten der Spätantike und des
                          frühen Mittelalters, Mainz 1976[3]

Weitzmann, K.   The Monastery of Saint Catherine at Mount
                          Sinai. The Icons, Princeton 1976

Wessel, K.   Koptische Kunst.Die Spätantike in Ägypten,
                          Recklinghausen 1963

Wulff, O.-Volbach, W.F.   Spätantike und koptische Stoffe aus ägyp-
                          tischen Grabfunden. Staatliche Museen
                          Berlin, Berlin 1926

Zahn, Th.   Geschichte des neutestamentlichen Kanons
                          I.1888, II.1890-92

Zahn, Th.   Rezension zu C.Schlau, in:
                          Göttingische Gelehrte Anzeigen 1877, 41.
                          Stück, S.1292-1308

Zaloscer, H.   Die Kunst im Christlichen Ägypten,
                          München 1974

Abbildungsnachweise, soweit nicht bereits im Katalog der Thekla-Bilder
enthalten:

Abb. 9   G.Ristow, Römischer Götterhimmel und frühes Christentum,
            Köln 1980, S.81, Nr.19 (nach Fremersdorf)
Abb.12   M.J.Vermaseren, Cybele and Attis, the Myth and the Cult,
            London 1977,Nr.38
Abb.13   Plan nach Deichmann in AA 1937, S.77/78 mit Ziffern nach
            Kaufmann (S.29, Anm.1)
Abb.25   E.Berger, Der neue Amazonenkopf im Basler Antikenmuseum, in:
            Gestalt und Geschichte, Festschrift K.Schefold 1965,
            Basel 1967, S.71, Zeichnung Abb.1
Abb.26   P.du Bourguet, Die Kopten, Baden-Baden 1967, Bildanhang 7
Abb.27   D.Levi, Antioch Mosaic Pavements II, Princeton 1947, Taf.XLVIIb
Abb.28   D.Levi, Antioch Mosaic Pavements II, Princeton 1947, Taf.
            XXXVIII c
Abb.29   S.Germain, Les mosaiques de Timgad, Paris 1969, Taf.XXXIV,96.

TAFELTEIL

2 Kapitell in Adana (zu S.8)

1 Londoner Elfenbein (Kap.1):
links Petrus-Szenen,
rechts oben Thekla und Paulus

3 Friedenskapelle von El-Bagawat: Thekla und Paulus (Kap.2 a)

4 Relief in Etschmiadzin (zu S.11)

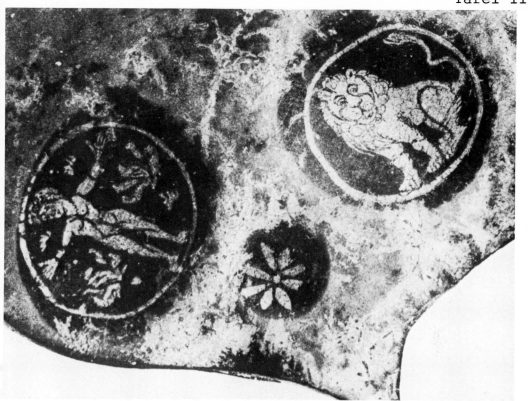

8 Goldglasmedaillons,
   Thekla in Flammen
   (Kap. 4 a)

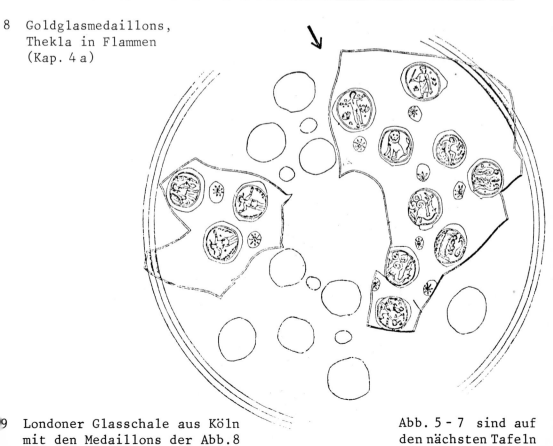

9 Londoner Glasschale aus Köln
   mit den Medaillons der Abb.8

Abb. 5 - 7 sind auf
den nächsten Tafeln

5 Malereien der Exodus-Kapelle von El-Bagawat (Kap.3)

6 Umzeichnung zu Abb.5

7   Malereien der Exodus-Kapelle von El-Bagawat (Kap.3)
Ausschnitt aus Abb.5

Abb. 8 und 9 sind auf Tafel III

14 Medaillon in Kansas City (Kap.5):

Thekla mit den Löwen

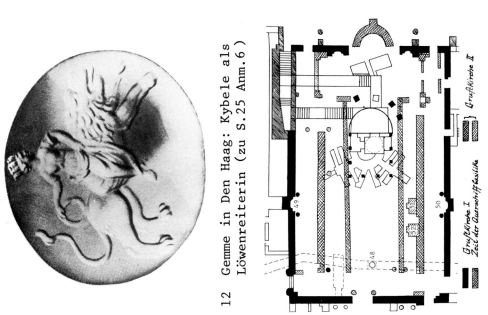

12 Gemme in Den Haag: Kybele als
Löwenreiterin (zu S.25 Anm.6)

13 Plan der Menas-Gruftkirche (zu S.28 f)

15 Exemplar b

Ampullenbild (Kap.6):
Thekla zwischen Löwin, Bärin, Stieren
(die Originale sind um ca.1/5 größer)

16 Exemplar c
(London)

17 Ikone im Sinai-Kloster (Kap.7):
   links Petrus, rechts Paulus und Thekla

Abb.19 ist
auf Tafel XII   18 Grabstele (Kap.8)

21 Silberreliquiar (Kap.10) Rückseite: links und rechts Thekla

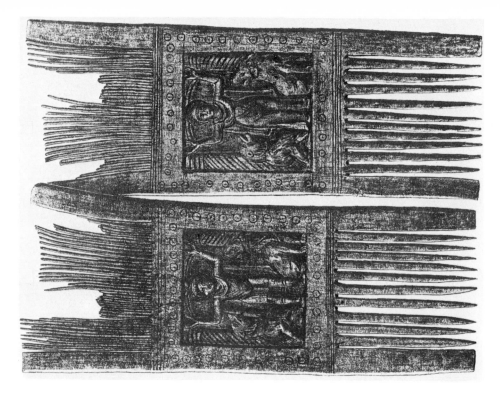

19 Kamm (Kap.9): Daniel bzw. Thekla / Susanna mit Bestien

22 Vorhang (Kap.11)

23 Relief im Brooklyn Museum (Kap.12a): Theklas Abgang in Seleukia

24 Relief im Brooklyn Museum (Kap.12b): Theklas Bedrängnis in Daphne

29 Mosaik aus Timgad (zu S.79/80 A.4)

27 Antiochenisches Mosaik (S.79 A.4)
Apoll und Daphne

25 Hell. Gruppe (S.74 f)

30 Fragment eines Sarkophagdeckels, Rom (Kap.13)

31 Hochaltar der Kathedrale von Tarragona
Marmor-Antependium mit Thekla-Szenen (Kap.14)